Lösungsschlüssel

zum

Hilke   Richard
Dreyer · Schmitt

Lehr- und Übungsbuch
der deutschen Grammatik

aktuell

Hueber Verlag

erstellt von
Manuela Beisswenger

5. 4. 3. | Die letzten Ziffern
2017 16 15 14 13 | bezeichnen Zahl und Jahr des Druckes.
Alle Drucke dieser Auflage können, da unverändert,
nebeneinander benutzt werden.
1. Auflage
© 2009 Hueber Verlag GmbH & Co. KG, 85737 Ismaning, Deutschland
Umschlaggestaltung: Lea-Sophie Bischoff, Hueber Verlag, Ismaning
Redaktion: Hans Hillreiner und Katrin Dorhmi, Hueber Verlag, Ismaning
Layout: Lea-Sophie Bischoff, Hueber Verlag, Ismaning
DTP: Schack, Ismaning
Druck und Bindung: Auer Buch + Medien GmbH, Donauwörth
Printed in Germany
ISBN 978–3–19–407255–8

§1

Übung 1: Ich höre den Hund / das Kind / die Verkäuferin / die Nachricht / das Flugzeug / den Lastwagen. – Wir hören den Hund / das Kind / die Verkäuferin / die Nachricht / das Flugzeug / den Lastwagen. Ich suche den Hund / das Kind / das Buch. – Wir suchen den Hund / das Kind / das Buch. Ich rufe den Hund / das Kind / die Verkäuferin. – Wir rufen den Hund / das Kind / die Verkäuferin. Ich lese das Buch / die Nachricht. – Wir lesen das Buch / die Nachricht. Ich frage das Kind / die Verkäuferin. – Wir fragen das Kind / die Verkäuferin.

Übung 2:

Nominativ	(Verb)	Dativ	Akkusativ
1. Der Wirt	gibt	dem Gast	die Speisekarte.
2. Der Gast	nennt	der Kellnerin	die Bestellung.
3. Die Kellnerin	serviert	dem Gast	das Gericht.
4. Der Gast	zahlt	der Kellnerin	die Rechnung.
5. Der Wirt	bringt	dem Gast	den Mantel.

Übung 3: Er zeigt 1. der Kundin das Angebot. 2. dem Politiker die Stadthalle. 3. dem Gast das Bad. 4. dem Mädchen das Museum. 5. dem Freund das Zimmer. 6. dem Minister das Rathaus. 7. der Ärztin die Klinik. 8. dem Verkäufer den Computer.

Übung 4: Das ist 1. das Fahrrad der Schülerin. 2. der Motor der Maschine. 3. das Ergebnis der Prüfung. 4. die Tür des Hauses. 5. das Foto der Schulklasse. 6. das Auto des Lehrers. 7. die Wohnung der Dame. 8. das Schulbuch des Kindes. 9. das Haus der Familie. 10. das Instrument des Musikers.

Übung 5: Ich höre die Hunde / die Kinder / die Verkäuferinnen / die Nachrichten / die Flugzeuge / die Lastwagen. – Wir hören die Hunde / die Kinder / die Verkäuferinnen / die Nachrichten / die Flugzeuge / die Lastwagen. Ich suche die Hunde / die Kinder / die Bücher. – Wir suchen die Hunde / die Kinder / die Bücher. Ich rufe die Hunde / die Kinder / die Verkäuferinnen. – Wir rufen die Hunde / die Kinder / die Verkäuferinnen. Ich lese die Bücher / die Nachrichten. – Wir lesen die Bücher / die Nachrichten. Ich frage die Kinder / die Verkäuferinnen. – Wir fragen die Kinder / die Verkäuferinnen.

Übung 6: Das sind 1. die Fahrräder der Schülerinnen. 2. die Motoren der Maschinen. 3. die Ergebnisse der Prüfungen. 4. die Türen der Häuser. 5. die Fotos der Schulklassen. 6. die Autos der Lehrer. 7. die Wohnungen der Damen. 8. die Schulbücher der Kinder. 9. die Häuser der Familien. 10. die Instrumente der Musiker.

Übung 7: 1. g) Der Mieter widerspricht dem Hauseigentümer. / Die Mieter widersprechen den Hauseigentümern. 2. h) Die Schülerin widerspricht dem Lehrer. / Die Schülerinnen widersprechen den Lehrern. 3. f) Der Auszubildende widerspricht dem Meister. / Die Auszubildenden widersprechen den Meistern. 4. e) Die Lehrerin widerspricht dem Schulleiter. / Die Lehrerinnen widersprechen den Schulleitern. 5. b) Der Fußballspieler widerspricht dem Schiedsrichter. / Die Fußballspieler widersprechen den Schiedsrichtern. 6. d) Der Sohn widerspricht dem Vater. / Die Söhne widersprechen den Vätern. 7. a) Der Patient widerspricht der Krankenschwester. / Die Patienten widersprechen den Krankenschwestern. 8. c) Der Pfleger widerspricht der Ärztin. / Die Pfleger widersprechen den Ärztinnen.

Übung 8: 1. g) Der Hauseigentümer widerspricht dem Mieter. / Die Hauseigentümer widersprechen den Mietern. 2. h) Der Lehrer widerspricht der Schülerin. / Die Lehrer widersprechen den Schülerinnen. 3. f) Der Meister widerspricht dem Auszubildenden. / Die Meister widersprechen den Auszubildenden. 4. e) Der Schulleiter widerspricht der Lehrerin. / Die Schulleiter widersprechen den Lehrerinnen. 5. b) Der Schiedsrichter widerspricht dem Fußballspieler. / Die Schiedsrichter widersprechen den Fußballspielern. 6. d) Der Vater widerspricht dem Sohn. / Die Väter widersprechen den Söhnen. 7. a) Die Krankenschwester widerspricht dem Patienten. / Die Krankenschwestern widersprechen den Patienten. 8. c) Die Ärztin widerspricht dem Pfleger. / Die Ärztinnen widersprechen den Pflegern.

Übung 9: 1. Der Bürger glaubte den Politikern nicht. 2. Wir danken den Helfern. 3. Die Chefin droht den Mitarbeitern. 4. Wir gratulieren den Abiturientinnen. 5. Das Medikament hilft den Frauen. 6. Die Trockenheit schadet den Bäumen. 7. Der Regen nützt den Wäldern. 8. Die Schüler antworten den Lehrern. 9. Der Kuchen schmeckt den Mädchen besonders gut. 10. Die Experimente gelingen den Wissenschaftlern.

Übung 10: Ich höre einen Hund / ein Kind / eine Verkäuferin / eine Nachricht / ein Flugzeug / einen Lastwagen. Ich suche einen Hund / ein Kind / ein Buch. Ich rufe einen Hund / ein Kind / eine Verkäuferin. Ich lese ein Buch / eine Nachricht. Ich frage ein Kind / eine Verkäuferin.

Übung 11: 1. Der Fußball gehört einem Sportverein. 2. Der Koffer gehört einem Kaufmann. 3. Der Kinderwagen gehört einer Mutter. 4. Das Fahrrad gehört einem Studenten. 5. Die Landkarte gehört einer Busfahrerin. 6. Die Puppe gehört einem Mädchen. 7. Die Trompete gehört einem Musiker. 8. Die Schüssel gehört einer Mieterin. 9. Das Kochbuch gehört einer Hausfrau. 10. Die Badehose gehört einem Schwimmer.

Übung 12: Heute demonstrieren 1. a) die Krankenpfleger einer Klinik. 2. c) die Studenten einer Universität. 3. d) die Schülerinnen eines Gymnasiums. 4. e) die Angestellten einer Bank. 5. g) die Musiker eines Orchesters. 6. b) die Kassierer eines Supermarktes. 7. f) die Verkäuferinnen eines Warenhauses.

§ 2

Übung 1: 1. Der Patient dankt dem Therapeuten. 2. Der Onkel antwortet dem Neffen. 3. Die Polizisten verhaften den Terroristen. 4. Der Fachmann widerspricht dem Laien. 5. Die Journalistin interviewt den Philosophen. 6. Das Parlament begrüßt den Präsidenten. 7. Die Richterin glaubt dem Zeugen. 8. Der Professor berät den Doktoranden. 9. Die Redaktion schickt den Journalisten. 10. Der Büroangestellte hilft dem Kollegen. 11. Der Laie befragt den Experten. 12. Der Fotohändler berät den Fotografen. 13. Die Verkäuferin bedient den Kunden. 14. Der Vater ruft den Jungen.

Übung 2: 1. Der Astronaut repariert den Satelliten. 2. Der Demonstrant beschimpft den Bundespräsidenten. 3. Der Kommandant befiehlt dem Soldaten. 4. Der Zeitungsausträger beliefert den Abonnenten. 5. Der Polizist befragt den Zeugen. 6. Der Löwe frisst den Hasen. 7. Der Journalist interviewt den Diplomaten. 8. Der Zoologe untersucht den Affen. 9. Der Therapeut behandelt den Patienten. 10. Der Bauer füttert den Ochsen.

Übung 3:

Land/Erdteil	Bewohner	Genitiv	Plural	Bewohnerin
Polen	der Pole	des Polen	die Polen	die Polin
Spanien	der Spanier	des Spaniers	die Spanier	die Spanierin
Afrika	der Afrikaner	des Afrikaners	die Afrikaner	die Afrikanerin
Asien	der Asiat	des Asiaten	die Asiaten	die Asiatin
Israel	der Israeli	des Israelis	die Israelis	die Israeli
Deutschland	der Deutsche	des Deutschen	die Deutschen	die Deutsche
Türkei	der Türke	des Türken	die Türken	die Türkin
Europa	der Europäer	des Europäers	die Europäer	die Europäerin
England	der Engländer	des Engländers	die Engländer	die Engländerin

Übung 4: 1. Die Italienerin arbeitet gern mit dem Türken zusammen. 2. Die Araberin arbeitet gern mit dem Kanadier zusammen. 3. Die Norwegerin arbeitet gern mit dem Polen zusammen. 4. Die Ungarin arbeitet gern mit dem Brasilianer zusammen. 5. Die Peruanerin arbeitet gern mit dem Dänen zusammen. 6. Die Irin arbeitet gern mit dem Vietnamesen zusammen. 7. Die Argentinierin arbeitet gern mit dem Australier zusammen. 8. Die Inderin arbeitet gern mit dem Bulgaren zusammen. 9. Die Koreanerin arbeitet gern mit dem Chinesen zusammen. 10. Die Rumänin arbeitet gern mit dem Finnen zusammen.

Übung 5: Kennst du 1. einen Franzosen oder eine Französin? – Nein, eine Französin kenne ich nicht. Ja, einen Franzosen kenne ich. 2. einen Indonesier / eine Indonesierin 3. einen Lateinamerikaner / eine Lateinamerikanerin 4. einen Portugiesen / eine Portugiesin 5. einen Vietnamesen / eine Vietnamesin 6. einen Japaner / eine Japanerin 7. einen Italiener / eine Italienerin 8. einen Österreicher / eine Österreicherin 9. einen Chinesen / eine Chinesin 10. einen Engländer / eine Engländerin 11. einen Dänen / eine Dänin 12. einen Rumänen / eine Rumänin

§ 3

Übung 1: 1. Hier haben wir einen Kühlschrank für 290,- €. – Nein danke, der Kühlschrank ist mir zu teuer. / Gut, den Kühlschrank nehme ich. 2. Hier haben wir eine Waschmaschine für 499,- €. – Nein danke, die Waschmaschine ist mir zu teuer. / Gut, die Waschmaschine nehme ich. 3. Hier haben wir einen Elektroherd für 410,- €. – Nein danke, der Elektroherd ist mir zu teuer. / Gut, den Elektroherd nehme ich. 4. Hier haben wir eine Mikrowelle für 90,- €. – Nein danke, die Mikrowelle ist mir zu teuer. / Gut, die Mikrowelle nehme ich. 5. Hier haben wir einen Gasherd für 550,- €. – Nein danke, der Gasherd ist mir zu teuer. / Gut, den Gasherd nehme ich. 6. Hier haben wir eine Kaffeemaschine für 90,- €. – Nein danke, die Kaffeemaschine ist mir zu teuer. / Gut, die Kaffeemaschine nehme ich. 7. Hier haben wir ein Püriergerät für 28,- €. – Nein danke, das Püriergerät ist mir zu teuer. / Gut, das Püriergerät nehme ich. 8. Hier haben wir ein Messerset für 39,- €. – Nein danke, das Messerset ist mir zu teuer. / Gut, das Messerset nehme ich. 9. Hier haben wir eine Gefriertruhe für 470,- €. – Nein danke, die Gefriertruhe ist mir zu teuer. / Gut, die Gefriertruhe nehme ich. 10. Hier haben wir eine Saftpresse für 19,- €. – Nein danke, die Saftpresse ist mir zu teuer. / Gut, die Saftpresse nehme ich.

Übung 2: 1. Ich brauche Kartoffeln. – Die Kartoffeln sind in der Speisekammer. 2. Ich brauche Streichhölzer. – Die Streichhölzer sind im Küchenschrank, (das weißt du doch!) 3. Ich brauche eine Nadel. – Die Nadeln sind im Nähkasten. 4. Ich brauche (dringend) einen Hammer. – Der Hammer ist im Werkzeugkasten. 5. Ich brauche einen Nagel. – Die Nägel sind auch im Werkzeugkasten, (das weißt du doch!) 6. Ich brauche (unbedingt) einen Kugelschreiber. – Der Kugelschreiber ist auf dem Schreibtisch. 7. Ich brauche (dringend) ein Feuerzeug. – Das Feuerzeug ist im Wohnzimmer. 8. Ich brauche (unbedingt) eine Kopfschmerztablette. – Die Kopfschmerztabletten sind in der Hausapotheke, (das weißt du doch!) 9. Ich brauche (dringend) ein Wörterbuch. – Das Wörterbuch ist im Bücherschrank. 10. Ich brauche einen Flaschenöffner. – Der Flaschenöffner ist in der Küche.

Übung 3: 1. Ich schicke ihm E-Mails. Ich kopiere die E-Mails dann in einen Ordner. 2. Morgens esse ich immer Brötchen. Die Brötchen sind immer frisch vom Bäcker. 3. Ich kaufe mir manchmal Zeitschriften. Die Zeitschriften lese ich meistens im Café. 4. Ich bringe Hemden zur Reinigung. Die Hemden haben Obstflecken. 5. Sie hat Pferde. Sie füttert die Pferde jeden Tag selbst. 6. Wir kennen Rechtsanwälte. Die Rechtsanwälte helfen Ihnen bestimmt. 7. Sie hört Geräusche im Garten. Die Geräusche erschrecken sie. 8. Der Kunstsammler kauft Bilder. Die Bilder schenkt er dem Museum.

Übung 4: Wohnungssuche
1. Der Mitarbeiter braucht eine Wohnung. 2. Wir helfen einem Kollegen gern. 3. Ein Kollege findet eine Anzeige in der Zeitung. 4. Jetzt haben wir eine Adresse und eine Telefonnummer. 5. Wir besuchen einen Makler und einen Vermieter. 6. Eine Monatsmiete kostet in der Stadt etwa 1000 Euro. 7. Wir fragen: „Vermieten Sie auch ein Apartment in der Umgebung?" 8. „Ja, dort gibt es sogar ein Haus für denselben Preis."

Übung 5: Annas Geburtstag
Am Ende der Goethestraße steht ein schönes Haus. In dem Haus wohnen drei Generationen einer großen Familie: die Großeltern, die Eltern und Anna mit ihren vier Geschwistern. Die Eltern der fünf Kinder haben das Haus gekauft, in das auch die Großeltern mit eingezogen sind.
Heute gibt es ein Fest im Garten. Ein Kind hat nämlich Geburtstag. Anna wird zwölf Jahre alt. Es sind viele Gäste zu der Party gekommen. Aber Anna mag keine Partys.
Ein Mann steht am Grill und grillt Würstchen. Der Mann ist fröhlich und singt. Aber Anna mag keine Würstchen.

Eine Frau erzählt einen Witz. Die Leute lachen laut. Auch die Frau lacht. Aber Anna mag keine Witze. Eine Tante kommt und schenkt Anna ein T-Shirt. Aber das T-Shirt gefällt Anna nicht. Sie ist unglücklich. Dann kommt eine Freundin. Die Freundin bringt dem Geburtstagskind eine DVD und ein Buch mit. Das Buch hat Anna leider schon gelesen, aber über die DVD freut sie sich sehr. Endlich ist sie wieder fröhlich und isst ein Stück Kuchen.

Übung 6: Man hört 1. das Singen eines Kindes. / das Singen von Kindern. 2. das Sprechen einer Person. / das Sprechen von Personen. 3. das Rauschen eines Monitors. / das Rauschen von Monitoren. 4. das Pfeifen eines Vogels. / das Pfeifen von Vögeln. 5. das Hupen eines Autos. / das Hupen von Autos. 6. das Bellen eines Hundes. / das Bellen von Hunden. 7. das Miauen einer Katze. / das Miauen von Katzen. 8. das Brummen eines Motors. / das Brummen von Motoren. 9. das Ticken einer Uhr. / das Ticken von Uhren. 10. das Klatschen eines Zuschauers. / das Klatschen von Zuschauern.

Übung 7: 1. Hier hast du die Kartoffeln. – Danke, aber ich brauche keine Kartoffeln mehr. 2. Hier hast du die Streichhölzer. – Danke, aber ich brauche keine Streichhölzer mehr. 3. Hier hast du die Nadeln. – Danke, aber ich brauche keine Nadeln mehr. 4. Hier hast du den Hammer. – Danke, aber ich brauche keinen Hammer mehr. 5. Hier hast du die Nägel. – Danke, aber ich brauche keine Nägel mehr. 6. Hier hast du den Kugelschreiber. – Danke, aber ich brauche keinen Kugelschreiber mehr. 7. Hier hast du das Feuerzeug. – Danke, aber ich brauche kein Feuerzeug mehr. 8. Hier hast du die Kopfschmerztabletten. – Danke, aber ich brauche keine Kopfschmerztabletten mehr. 9. Hier hast du das Wörterbuch. – Danke, aber ich brauche kein Wörterbuch mehr. 10. Hier hast du den Flaschenöffner. – Danke, aber ich brauche keinen Flaschenöffner mehr.

Übung 8: 1. Hier haben wir einen Kühlschrank für 290,- €. – Sehr schön, aber ich brauche keinen Kühlschrank. 2. Hier haben wir eine Waschmaschine für 499,- €. – Sehr schön, aber ich brauche keine Waschmaschine. 3. Hier haben wir einen Elektroherd für 410,- €. – Sehr schön, aber ich brauche keinen Elektroherd. 4. Hier haben wir eine Mikrowelle für 90,- €. – Sehr schön, aber ich brauche keine Mikrowelle. 5. Hier haben wir einen Gasherd für 550,- €. – Sehr schön, aber ich brauche keinen Gasherd. 6. Hier haben wir eine Kaffeemaschine für 90,- €. – Sehr schön, aber ich brauche keine Kaffeemaschine. 7. Hier haben wir ein Püriergerät für 28,- €. – Sehr schön, aber ich brauche kein Püriergerät. 8. Hier haben wir ein Messerset für 39,- €. – Sehr schön, aber ich brauche kein Messerset. 9. Hier haben wir eine Gefriertruhe für 470,- €. – Sehr schön, aber ich brauche keine Gefriertruhe. 10. Hier haben wir eine Saftpresse für 19,- €. – Sehr schön, aber ich brauche keine Saftpresse.

Übung 9: 1. Was trinkst du? – Ich nehme — Kaffee. 2. Schmeckt dir — schwarzer Tee? 3. Er ist — Engländer und sie — Japanerin. 4. Woher kommt eigentlich unser neuer Kollege? – Er ist — Asiat. Ich glaube, er kommt aus Japan. 5. Glaubst du an — Gott? 6. Nach dem Fußballspiel haben die Zuschauer — Hunger und — Durst. 7. Die Arbeit meines Vaters ist interessant. 8. Ohne — Arbeit ist das Leben langweilig. 9. Hast du — Geld dabei? Kannst du mir bitte 10 Euro leihen? 10. Das Kraftwerk ist — Tag und — Nacht in Betrieb. 11. Er fährt — Tag für — Tag mit dem Auto zur Arbeit. 12. Zu — Ostern besuche ich meine Eltern, in den Sommerferien fahre ich in die Alpen. 13. Wenn du — Hunger hast, dann mach dir ein Butterbrot. 14. Meine Schwester will — Ärztin werden; ich studiere — Informatik.

Übung 10: 1. — Rom ist die Hauptstadt von — Italien. 2. Er liebt — Deutschland und kommt jedes Jahr einmal nach — München. 3. — Dresden, die Stadt des Barock, liegt in — Sachsen. 4. Das schöne Wien ist — Österreichs Hauptstadt. 5. — Zürich ist die größte Stadt der Schweiz, aber die Hauptstadt ist — Bern. 6. Die Amtssprache in der Tschechischen Republik ist Tschechisch. 7. — Ankara ist die Hauptstadt der Türkei, das größere Istanbul ist die berühmteste Stadt des Landes. 8. — Grönland ist die größte Insel der Erde und fast vollständig mit — Eis bedeckt. 9. In den USA spricht man — Englisch, in — Kanada auch — Französisch. 10. In — Mittel- und Südamerika spricht man — Spanisch, nur in — Brasilien spricht man — Portugiesisch. 11. Wie viele Menschen leben in den Vereinigten Staaten? 12. Die Arktis ist im Gegensatz zur (= zu der) Antarktis kein Erdteil. 13. Welche Sprachen werden in den Niederlanden gesprochen?

Übung 11: Rezept für Hackklößchen
Zutaten für _—_ vier Personen:
– Ein Pfund _—_ Hackfleisch, am besten _—_ Rindfleisch und _—_ Schweinefleisch gemischt,
– eine Zwiebel, in _—_ Würfel geschnitten,
– _—_ Salz, _—_ Pfeffer, ein Teelöffel _—_ Senf und ein Ei,
– ein trockenes Brötchen, in _—_ Wasser eingeweicht und ausgedrückt,
– 300 Gramm _—_ Champignons, in _—_ kleine Stücke geschnitten und in _—_ Öl gedünstet.
Geben Sie die Zutaten, also das Fleisch, die Gewürze, die Zwiebel, das Brötchen, das Ei und die Champignons zusammen in eine Schüssel und kneten Sie alles gut durch. Formen Sie aus der Masse kleine Kugeln und braten Sie die Hackklößchen in einer/der Pfanne mit _—_ Fett goldbraun.

Übung 12: Seit _—_ Anfang _—_ April arbeitet _—_ Martin in _—_ Österreich als _—_ Krankenpfleger. Seine Freundin _—_ Laura, geboren in _—_ Deutschland, studiert jetzt in der Schweiz _—_ Medizin.
Sie will später _—_ Ärztin für _—_ Lungenheilkunde und _—_ Allergologie werden. Sie hat leider noch _—_ Probleme mit der Sprache. Sie studiert nämlich in _—_ Genf. Die Sprache an der Universität ist _—_ Französisch. Sie hat zwar _—_ Französisch in der Schule gelernt, aber das reicht nicht für das Studium. Martin arbeitet in _—_ Graz.
Martin und Laura besuchen sich, so oft es geht. Sie verbringen _—_ Ostern, _—_ Pfingsten und die Weihnachtsfeiertage immer miteinander. Manchmal hat Martin _—_ Urlaub, wenn Laura _—_ Semesterferien hat. Dann machen sie gerne eine Reise, zum Beispiel nach _—_ Ägypten. Martin ist nämlich _—_ / ein Hobby-Archäologe.
Oft ist Laura auch bei Martin in _—_ Graz. Dann gehen sie zusammen ins (in das / in ein) Theater oder ans (an das) Ufer der Mur. Auch Martins _—_ Schwester Angela besuchen sie manchmal, sie lebt in _—_ Wien. Laura fliegt auch manchmal auf die Insel Helgoland. Lauras _—_ Mutter lebt nämlich auf _—_ Helgoland. Schon als Kind liebte Laura die Insel, die frische Seeluft, den starken Wind, das salzige Wasser. Auf _—_ Helgoland holt sie sich immer wieder _—_ Kraft und _—_ Ausdauer für das Studium.

§ 4

Übung 1: 1. Hast du meine Brille gesehen? Ich suche sie schon den ganzen Tag. – Nein, ich habe sie nicht gesehen. Wann hast du sie zuletzt getragen? – Gestern Abend. Danach war sie verschwunden.
2. Habt ihr meine Autoschlüssel gesehen? Ich suche sie schon den ganzen Tag. – Nein, wir haben sie nicht gesehen. Wann hast du sie zuletzt in der Hand gehabt? – Gestern Abend. Danach waren sie verschwunden.
3. Haben Sie unsere Tickets gesehen? Wir suchen sie schon den ganzen Tag. – Nein, ich habe sie nicht gesehen. Wann haben Sie sie zuletzt in der Hand gehabt? – Gestern Abend. Danach waren sie verschwunden.
4. Hast du meinen Schirm gesehen? Ich suche ihn schon den ganzen Tag. – Nein, ich habe ihn nicht gesehen. Wann hast du ihn zuletzt gebraucht? – Gestern Abend. Danach war er verschwunden.
5. Hast du meine Joggingschuhe gesehen? Ich suche sie schon den ganzen Tag. – Nein, ich habe sie nicht gesehen. Wann hast du sie zuletzt angehabt? – Gestern Abend. Danach waren sie verschwunden.
6. Hast du meine CD gesehen? Ich suche sie schon den ganzen Tag. – Nein, ich habe sie nicht gesehen. Wann hast du sie zuletzt angehört? – Gestern Abend. Danach war sie verschwunden.

Übung 2: Der Schein trügt
Ein Knabe fand im Garten eine Rose. *Sie* duftete wunderbar. Das gefiel *ihm* sehr. Er meinte: „Aus *ihr* kommt ein so herrlicher Duft, sicher kann man *sie* auch essen. *Sie* schmeckt gewiss so köstlich wie *sie* duftet." Neugierig nahm *er* einige Blütenblätter in den Mund. *Ihr* bitterer Geschmack überraschte *ihn*. *Er* verzog das Gesicht. „Betrügerin!", schrie *er* und warf *sie* auf die Erde. „Mit deinem Duft hast du mich getäuscht!" Die Rose erwiderte *ihm*: „Wer mehr als Duft von mir erwartet, täuscht sich selbst."
(nach Schopenhauer)

Übung 3: Im Fitnessstudio

Tim: Schön, dass ich <u>dich</u> mal wieder treffe! Wie geht es <u>dir</u>?

Chris: Danke, gut. Ich habe <u>dich</u> hier noch nie gesehen. Seit wann trainierst <u>du</u> in diesem Studio?

Tim: Vor einem halben Jahr habe ich <u>mich</u> angemeldet, aber <u>ich</u> war noch nie hier.

Chris: Komm, <u>ich</u> zeige <u>dir</u> den Umkleideraum. Hier ziehen <u>wir</u> <u>uns</u> um und da kannst <u>du</u> deine Sachen einschließen.

Tim: Schau mal, ich habe <u>mir</u> neue Sportschuhe gekauft. Wie findest <u>du</u> <u>sie</u>?

Chris: Sie gefallen <u>mir</u> gut. Was haben <u>sie</u> denn gekostet?

Tim: 69 Euro. <u>Sie</u> waren sehr preiswert. Mehr kann ich <u>mir</u> im Moment nicht leisten.

Chris: Dort drüben sind die Laufbänder. Wollen <u>wir</u> zusammen laufen?

Tim: Gern. Ich kenne das Gerät nicht. Hilfst <u>du</u> <u>mir</u>?

Chris: Aber natürlich. Ich laufe eine halbe Stunde. Kommst <u>du</u> danach mit <u>mir</u> in die Sauna?

Tim: Ich habe <u>mich</u> leider verspätet, und in der Eile habe <u>ich</u> mein Handtuch vergessen.

Chris: Ich habe noch ein zweites Handtuch. <u>Ich</u> leihe <u>es</u> <u>dir</u> gern.

Tim: Danke! Ich gebe es <u>dir</u> wieder, wenn ich <u>es</u> gewaschen habe. Wann kann ich <u>dich</u> hier wieder treffen, damit ich <u>dir</u> das Handtuch zurückgeben kann?

Chris: Kommst <u>du</u> am Freitag? Dann kannst <u>du</u> es <u>mir</u> zurückgeben.

Übung 4: Ein Telefongespräch mit der Versicherung

A.: <u>Ich</u> habe <u>Ihnen</u> vor längerer Zeit einen Wasserschaden gemeldet.

S.: Bitte nennen <u>Sie</u> <u>mir</u> Ihre Versicherungsnummer.

A.: 56897116. <u>Sie</u> haben <u>mir</u> noch nicht auf meinen Brief geantwortet.

S.: Bitte warten <u>Sie</u> einen Augenblick, <u>ich</u> schaue nach.

A.: Gut, <u>ich</u> warte.

S.: Hallo, sind <u>Sie</u> noch dran? <u>Ich</u> finde nichts in unserem Computer. Wann haben <u>Sie</u> <u>uns</u> denn über den Wasserschaden informiert?

A.: Den habe <u>ich</u> <u>Ihnen</u> schon vor drei Monaten gemeldet, aber <u>Sie</u> haben nicht geantwortet.

S.: Das tut <u>mir</u> leid. <u>Ich</u> werde mich sofort persönlich darum kümmern.

A.: Das ist sehr nett von <u>Ihnen</u>, vielen Dank!

§ 5

Übung 1: a) 1. Dein blauer Schal ist im Kleiderschrank. 2. Ja, deine Jacke hängt an der Garderobe. 3. Nein, unsere Bergschuhe haben wir noch nicht eingepackt. 4. Nein, eure Wasserflaschen sind noch im Kühlschrank. 5. Ja, deine Gitarre passt noch ins Auto. 6. Dein Führerschein ist im Handschuhfach.
b) 1. Ja, wir haben unsere Ausweise eingesteckt. 2. Ja, ich habe meine Hausschuhe eingepackt. 3. Ja, ich habe deine Autoschlüssel. 4. Du hast deine Straßenkarte auf den Schreibtisch gelegt. 5. Ja, ich bringe eure Sonnenbrillen mit. 6. Ich habe unser Auto direkt vor dem Haus geparkt.
c) Im Hotel
1. Ihre Koffer sind schon auf Ihrem Zimmer. 2. Ihre Zimmerschlüssel bekommen Sie an der Rezeption. 3. Ihr Zimmer ist in der fünften Etage. 4. Ja, der Page bringt Ihnen Ihr restliches Gepäck hinauf. 5. Ihre Tickets für die Stadtrundfahrt bekommen Sie kurz vor der Abfahrt.

Übung 2: Das ist mein Nachbar

mit <u>seiner</u> Familie.	mit <u>seinen</u> Töchtern.
mit <u>seiner</u> Frau.	vor <u>seinem</u> Haus.
mit <u>seinem</u> Sohn.	in <u>seinem</u> Auto.

Das ist meine Kollegin

in <u>ihrem</u> Büro.	mit <u>ihrem</u> Hund.
vor <u>ihrem</u> Computer.	mit <u>ihren</u> Freundinnen.
mit <u>ihrem</u> Mann.	mit <u>ihren</u> Kindern.

Das sind meine Enkel
mit <u>ihren</u> Spielsachen. auf <u>ihren</u> Fahrrädern.
mit <u>ihren</u> Eltern. mit <u>ihren</u> Freunden.
auf <u>ihrer</u> Schaukel. mit <u>ihrer</u> Lehrerin.

Übung 3: 1. Das Auto gehört meinem Schwiegersohn. 2. Der Garten gehört meinen Eltern. 3. Die Möbel gehören meinen Großeltern. 4. Das Handy gehört meiner Freundin. 5. Die Bücher gehören meiner Tochter. 6. Der Computer gehört meiner Schwägerin. 7. Der Schmuck gehört meiner Frau. 8. Die CDs gehören meinem Sohn.

Übung 4: Wo hab ich nur ...
1. meine Brille hingelegt? – Deine Brille? Die hast du (doch) auf den Schreibtisch gelegt.
2. meine Jacke hingehängt? – Deine Jacke? Die hast du (doch) über die Stuhllehne gehängt.
3. meine Handschuhe gelassen? – Deine Handschuhe? Die hast du (doch) in die Manteltaschen gesteckt.
4. meinen Schirm hingestellt? – Deinen Schirm? Den hast du (doch) in den Kofferraum gelegt.
5. meinen Kalender gelassen? – Deinen Kalender? Den hast du (doch) in die Schublade gelegt.
6. mein Handy gelassen? – Dein Handy? Das hast du (doch) im Café vergessen.

Übung 5: Wo hab ich nur ...
1. meine Brille hingelegt? – Ihre Brille? Die haben Sie auf den Schreibtisch gelegt.
2. meine Jacke hingehängt? – Ihre Jacke? Die haben Sie über die Stuhllehne gehängt.
3. meine Handschuhe gelassen? – Ihre Handschuhe? Die haben Sie in die Manteltaschen gesteckt.
4. meinen Schirm hingestellt? – Ihren Schirm? Den haben Sie in den Kofferraum gelegt.
5. meinen Kalender gelassen? – Ihren Kalender? Den haben Sie in die Schublade gelegt.
6. mein Handy gelassen? – Ihr Handy? Das haben Sie im Café vergessen.

Übung 6: Wie wir unsere Nachbarn kennenlernten
1. <u>Unser</u> Postbote ist schon seit vielen Jahren in <u>unserem</u> Stadtviertel tätig. 2. <u>Sein</u> Lächeln, <u>seine</u> Freundlichkeit und <u>seine</u> Fröhlichkeit mögen wir sehr. 3. <u>Seinen</u> Job erledigt er immer sehr pünktlich. 4. Jeden Morgen um 10 Uhr wirft er die Post in <u>unsere</u> Briefkästen. 5. Aber manchmal finde ich Briefe für <u>unsere</u> neuen Nachbarn in <u>unserem</u> Postkasten. 6. Sie dagegen finden in <u>ihrem</u> Kasten Briefe an <u>unsere</u> Adresse. 7. Das ist nicht schlimm, wir geben ihnen einfach <u>ihre</u> Postsendungen und bekommen <u>unsere</u> Briefe von ihnen. 8. Auf diese Weise haben wir <u>unsere</u> neuen Nachbarn kennengelernt. 9. Jetzt laden wir sie gern zum Grillen in <u>unseren</u> Garten ein, und sie bitten uns zu Partys in <u>ihr</u> Haus. 10. Wir freuen uns über <u>unsere</u> neue Freundschaft und lieben deshalb <u>unseren</u> Postboten noch mehr.

Übung 7: Ein Brief an Christian
Lieber Christian,
Dein<u>e</u> Antwort auf mein<u>e</u> E-Mail hat mich sehr gefreut. Schön, dass Du mitkommst!
Wir werden also unser<u>en</u> Urlaub gemeinsam im Ferienhaus mein<u>er</u> Tante an der Côte d'Azur verbringen. Das ist schon lange mein_ Traum; in ihr<u>em</u> Ferienhaus war ich noch nie. Ihr_ Haus liegt hoch oben in den Bergen, und von sein<u>er</u> Terrasse hat man einen wunderbaren Blick aufs Meer. Ich hoffe, dass Du bis zu unser<u>em</u> Urlaub mit Dein<u>er</u> Seminararbeit fertig bist, damit Du Dein<u>e</u> freie Zeit unbeschwert genießen kannst. Und nun zu Dein<u>er</u> Frage, was Du mitnehmen sollst. Du solltest natürlich auf jeden Fall Dein<u>e</u> Badesachen mitnehmen und Dein<u>e</u> Joggingschuhe. Manchmal ist es um diese Jahreszeit schon recht kalt und regnerisch, Du solltest also Dein<u>e</u> warmen Sachen nicht vergessen, Dein<u>e</u> Fleecejacke und eine lange Hose. Ich nehme jedenfalls mein<u>e</u> Sportsachen und mein<u>e</u> Schlechtwetterausrüstung mit, für alle Fälle. Dein<u>en</u> großen Regenschirm könntest Du auch mitnehmen, dann können wir zusammen im Regen spazieren gehen. Das wäre toll.
Das Haus mein<u>er</u> Tante ist sehr schön eingerichtet. Es hat drei Schlafzimmer und zwei Bäder. In dem großen Wohnzimmer können wir unsere Lieblingssendungen im Fernsehen anschauen, mein<u>e</u> Tante hat kürzlich erst eine Satellitenschüssel auf ihr<u>em</u> Dach installieren lassen. Wir dürfen ihr<u>en</u> Kühlschrank und ihr<u>e</u> Waschmaschine und sogar ihr<u>en</u> PC benutzen. Den größten Teil unser<u>er</u> Zeit werden wir aber sicher am Strand oder in den Bergen verbringen. Ich freue mich schon sehr!
Bis bald!
Dein<u>e</u> Gabi

§ 6

Übung 1:

Präsens

	1. Person	2. Person	3. Person
Singular	ich	du	er/sie/es
	a) schicke	glaubst	zählt
	b) heile	kaufst	spielt
	c) frage	machst	kocht
Plural	wir	ihr	sie/Sie
	d) legen	weint	hören
	e) führen	fragt	joggen
	f) stellen	bucht	leben

Präteritum

	1. Person	2. Person	3. Person
Singular	ich	du	er/sie/es
	a) schickte	glaubtest	zählte
	b) heilte	kauftest	spielte
	c) fragte	machtest	kochte
Plural	wir	ihr	sie/Sie
	d) legten	weintet	hörten
	e) führten	fragtet	joggten
	f) stellten	buchtet	lebten

Perfekt

	1. Person	2. Person	3. Person
Singular	ich	du	er/sie/es
	a) habe geschickt	hast geglaubt	hat gezählt
	b) habe geheilt	hast gekauft	hat gespielt
	c) habe gefragt	hast gemacht	hat gekocht
Plural	wir	ihr	sie/Sie
	d) haben gelegt	habt geweint	haben gehört
	e) haben geführt	habt gefragt	haben gejoggt
	f) haben gestellt	habt gebucht	haben gelebt

Übung 2:

a) 1. Ja, natürlich höre ich die Nachrichten der BBC. / Natürlich hört er die Nachrichten der BBC. 2. Ja, selbstverständlich hole ich noch Bier für unser Fest heute Abend. / Selbstverständlich holt er noch Bier für unser Fest heute Abend. 3. Ja, ich mache den Cappuccino mit aufgeschäumter Milch. / Er macht den Cappuccino mit aufgeschäumter Milch. 4. Ja, selbstverständlich kenne ich die Namen aller deutschen Bundesländer. / Selbstverständlich kennt er die Namen aller deutschen Bundesländer. 5. Ja, ich lerne auch noch Spanisch. / Er lernt auch noch Spanisch. 6. Ja, natürlich übe ich die englischen Verben. / Natürlich übt er die englischen Verben. 7. Ja, ich rauche noch. / Er raucht noch. 8. Ja, natürlich liebe ich ihn. / Natürlich liebt er ihn.

b) 1. Ja, natürlich hören wir die Nachrichten der BBC. / Natürlich hören sie die Nachrichten der BBC. 2. Ja, selbstverständlich holen wir noch Bier für unser Fest heute Abend. / Selbstverständlich holen sie noch Bier für unser Fest heute Abend. 3. Ja, wir machen den Cappuccino mit aufgeschäumter Milch. / Sie machen den Cappuccino mit aufgeschäumter Milch. 4. Ja, selbstverständlich kennen wir die Namen aller deutschen Bundesländer. / Selbstverständlich kennen sie die Namen aller deutschen Bundesländer. 5. Ja, wir lernen auch noch Spanisch. / Sie lernen auch noch Spanisch. 6. Ja, natürlich üben wir die englischen Verben. / Natürlich üben sie die englischen Verben. 7. Ja, wir rauchen noch. / Sie rauchen noch. 8. Ja, natürlich lieben wir ihn. / Natürlich lieben sie ihn.

Übung 3: **a)** 1. Ja, natürlich habe ich die Nachrichten der BBC gehört. / Natürlich hat er die Nachrichten der BBC gehört. 2. Ja, selbstverständlich habe ich noch Bier für unser Fest heute Abend geholt. / Selbstverständlich hat er noch Bier für unser Fest heute Abend geholt. 3. Ja, ich habe den Cappuccino mit aufgeschäumter Milch gemacht. / Er hat den Cappuccino mit aufgeschäumter Milch gemacht. 4. Ja, selbstverständlich habe ich die Namen aller deutschen Bundesländer gekannt. / Selbstverständlich hat er die Namen aller deutschen Bundesländer gekannt. 5. Ja, ich habe auch noch Spanisch gelernt. / Er hat auch noch Spanisch gelernt. 6. Ja, natürlich habe ich die englischen Verben geübt. / Natürlich hat er die englischen Verben geübt. 7. Ja, ich habe noch geraucht. / Er hat noch geraucht. 8. Ja, natürlich habe ich ihn geliebt. / Natürlich hat er ihn geliebt.

b) 1. Ja, natürlich haben wir die Nachrichten der BBC gehört. / Natürlich haben sie die Nachrichten der BBC gehört. 2. Ja, selbstverständlich haben wir noch Bier für unser Fest heute Abend geholt. / Selbstverständlich haben sie noch Bier für unser Fest heute Abend geholt. 3. Ja, wir haben den Cappuccino mit aufgeschäumter Milch gemacht. / Sie haben den Cappuccino mit aufgeschäumter Milch gemacht. 4. Ja, selbstverständlich haben wir die Namen aller deutschen Bundesländer gekannt. / Selbstverständlich haben sie die Namen aller deutschen Bundesländer gekannt. 5. Ja, wir haben auch noch Spanisch gelernt. / Sie haben auch noch Spanisch gelernt. 6. Ja, natürlich haben wir die englischen Verben geübt. / Natürlich haben sie die englischen Verben geübt. 7. Ja, wir haben noch geraucht. / Sie haben noch geraucht. 8. Ja, natürlich haben wir ihn geliebt. / Natürlich haben sie ihn geliebt.

Übung 4: 1. Was empfiehlst du ihnen? 2. Wozu rätst du ihnen? 3. Was nimmst du? 4. Wo triffst du sie? 5. Wen lädst du ein? 6. Wo isst du lieber? 7. Womit brätst du sie? 8. Was gibst du dazu? 9. Wann liest du sie? 10. Wie trägst du sie auf? 11. Was weißt du davon?

Übung 5a): Fußballfans
1. Wir sind mit der Straßenbahn zum Stadion gefahren. 2. Wir sind rechtzeitig dort gewesen. 3. Wir sind zum Eingangstor gelaufen. 4. Dort sind wir auf eine lange Schlange getroffen. 5. Wir sind kurz vor Spielbeginn ins Stadion gekommen. 6. Wir sind zu unseren Plätzen gerannt.

Übung 5b): 1. Wir haben die Namen der Spieler gerufen. 2. Wir haben geschrien und gepfiffen. 3. Wir haben das Lied unseres Vereins gesungen. 4. Wir haben den Schiedsrichter ungerecht gefunden. 5. Wir haben das Spiel nicht gewonnen, 6. aber wir haben die Stimmung im Stadion genossen.

Übung 6: 1. Abends sieht sie immer die Tagesschau. 2. Das Blatt fällt vom Baum. 3. Der Fischer wirft die Netze aus. 4. Die Katze fängt Mäuse. 5. Der Arbeiter gräbt ein Loch. 6. Der Techniker repariert die Maschine. 7. Der Geologe misst die Temperaturveränderungen im Polareis. 8. Der Schüler schreibt einen Aufsatz. 9. Der Dieb stiehlt ein Auto. 10. Der Autofahrer tritt abrupt auf die Bremse. 11. Der Gastgeber empfängt die Besucher. 12. Mein Sohn wächst sehr schnell. 13. Das Kind kommt hungrig nach Hause. 14. Die Firma wirbt für ihre Produkte. 15. Der Händler gibt den Kunden Rabatt.

Übung 7: **a)** 1. Abends sah sie immer die Tagesschau. 2. Das Blatt fiel vom Baum. 3. Der Fischer warf die Netze aus. 4. Die Katze fing Mäuse. 5. Der Arbeiter grub ein Loch. 6. Der Techniker reparierte die Maschine. 7. Der Geologe maß die Temperaturveränderungen im Polareis. 8. Der Schüler schrieb einen Aufsatz. 9. Der Dieb stahl ein Auto. 10. Der Autofahrer trat abrupt auf die Bremse. 11. Der Gastgeber empfing die Besucher. 12. Mein Sohn wuchs sehr schnell. 13. Das Kind kam hungrig nach Hause. 14. Die Firma warb für ihre Produkte. 15. Der Händler gab den Kunden Rabatt.

b) 1. Abends hat sie immer die Tagesschau gesehen. 2. Das Blatt ist vom Baum gefallen. 3. Der Fischer hat die Netze ausgeworfen. 4. Die Katze hat Mäuse gefangen. 5. Der Arbeiter hat ein Loch gegraben. 6. Der Techniker hat die Maschine repariert. 7. Der Geologe hat die Temperaturveränderungen im Polareis gemessen. 8. Der Schüler hat einen Aufsatz geschrieben. 9. Der Dieb hat ein Auto gestohlen. 10. Der Autofahrer ist abrupt auf die Bremse getreten. 11. Der Gastgeber hat die Besucher empfangen. 12. Mein Sohn ist sehr schnell gewachsen. 13. Das Kind ist hungrig nach Hause gekommen. 14. Die Firma hat für ihre Produkte geworben. 15. Der Händler hat den Kunden Rabatt gegeben.

Übung 8a):   Im Friseursalon
1. Wer wartet schon vor der Tür? 2. Wer bittet die Kundinnen, Platz zu nehmen? 3. Wer bietet ihnen dann Kaffee an? 4. Wer findet Anregungen in Zeitschriften? 5. Wer redet gern mit seinen Kundinnen? 6. Wer fürchtet sich nicht vor einem modernen Kurzhaarschnitt? 7. Wer meldet sich am Ende gleich für den nächsten Friseurbesuch an?

Übung 8b):   1. Wer hat schon vor der Tür gewartet? 2. Wer hat die Kundinnen gebeten, Platz zu nehmen? 3. Wer hat ihnen dann Kaffee angeboten? 4. Wer hat Anregungen in Zeitschriften gefunden? 5. Wer hat gern mit seinen Kundinnen geredet? 6. Wer hat sich nicht vor einem modernen Kurzhaarschnitt gefürchtet? 7. Wer hat sich am Ende gleich für den nächsten Friseurbesuch angemeldet?

Übung 9a):   Ein Ferienabenteuer
1. Zwei Touristen *zelteten* an einem Bergsee in Schottland. 2. Sie *badeten* in seinem klaren Wasser. 3. Danach *zündeten* sie ein Lagerfeuer an und *redeten* über Pläne für den nächsten Tag. 4. Aber als sie die schnell aufziehenden dunklen Wolken *beobachteten, fürchteten* sie einen jähen Wetterumschwung. 5. Und wirklich: Schon kurze Zeit später *wütete* ein heftiges Gewitter. 6. Ein Wolkenbruch *schüttete* wahre Wasserfluten herab. 7. Eine nahe Höhle *rettete* die beiden Freunde. 8. In ihrem Schutz *warteten* sie auf das Ende des Unwetters.

Übung 9b):   Die beiden Touristen erzählen von ihrem Ferienabenteuer
1. Wir *haben* an einem Bergsee in Schottland *gezeltet.* 2. Wir *haben* in seinem klaren Wasser *gebadet.* 3. Danach *haben* wir ein Lagerfeuer *angezündet* und *(haben)* über Pläne für den nächsten Tag *geredet.* 4. Aber als wir die schnell aufziehenden dunklen Wolken *beobachtet haben, haben* wir einen jähen Wetterumschwung *befürchtet.* 5. Und wirklich: Schon kurze Zeit später *hat* ein heftiges Gewitter *gewütet.* 6. Ein Wolkenbruch *hat* wahre Wasserfluten herab*geschüttet.* 7. Eine nahe Höhle *hat* uns *gerettet.* 8. In ihrem Schutz *haben* wir auf das Ende des Unwetters *gewartet.*

Übung 10:   Die Abiturfeier
1. Für ihre Abiturfeier schmückten die Abiturientinnen und Abiturienten die Aula festlich. / haben die Abiturientinnen und Abiturienten die Aula festlich geschmückt. 2. Die Sekretärin sandte Einladungen an die Eltern. / hat Einladungen an die Eltern gesandt. 3. Die Abiturienten kannten den Termin schon lange. / haben den Termin schon lange gekannt. 4. Auch ihre Eltern wussten schon von der Feier. / haben schon von der Feier gewusst. 5. In der Aula brannten Kerzen. / haben Kerzen gebrannt. 6. Die Direktorin wandte sich mit einer Festrede an Schüler und Eltern. / hat sich mit einer Festrede an Schüler und Eltern gewandt. 7. Dann nannte sie die Namen aller Abiturienten. / hat sie die Namen aller Abiturienten genannt. 8. Der Schülersprecher brachte in seiner Rede den Dank der Schüler an ihre Lehrer zum Ausdruck. / hat in seiner Rede den Dank der Schüler an ihre Lehrer zum Ausdruck gebracht. 9. Die Lehrer dachten gern an diese Abiturklasse zurück. / haben gern an diese Abiturklasse zurückgedacht.

Übung 11:   1. Du denkst / dachtest immer nur an dich / hast immer nur an dich gedacht! 2. Es ist sehr heiß, die Sonne brennt / brannte vom Himmel / hat vom Himmel gebrannt. 3. Ihr kennt / kanntet eure neuen Nachbarn noch nicht / habt eure neuen Nachbarn noch nicht gekannt? 4. Er sendet / sandte dir herzliche Grüße / hat dir herzliche Grüße gesandt. 5. Mit technischen Problemen an meinem Auto wende / wandte ich mich immer an meinen Schwiegervater / habe ich mich immer an meinen Schwiegervater gewandt. 6. Ich weiß / wusste von nichts / habe von nichts gewusst. 7. Er bringt / brachte mir eine Nachricht / hat mir eine Nachricht gebracht.

Übung 12:   du misst, du schließt, du sitzt, du stößt, du vergisst, du weißt, du lässt, du beißt, du liest, du heizt

Übung 13:   ich wechsle, wir wechseln – ich bügle, wir bügeln – ich handle, wir handeln – ich klingle, wir klingeln – ich schaukle, wir schaukeln – ich stemple, wir stempeln – ich zweifle, wir zweifeln – ich ändere, wir ändern – ich liefere, wir liefern – ich wandere, wir wandern – ich bedau(e)re, wir bedauern – ich hindere, wir hindern – ich erwidere, wir erwidern – ich flüstere, wir flüstern – ich verhungere, wir verhungern – ich zerkleinere, wir zerkleinern

Übung 14: 1. Nein, ich <u>bügle</u> nur die Hemden und Hosen. 2. Doch, ich <u>ekle</u> mich vor ihnen. 3. Nein, ich <u>zweifle</u> natürlich nicht daran. 4. Doch, ich <u>regle</u> sie natürlich selbst! 5. Auf keinen Fall! Ich <u>ändere</u> meine Meinung nicht! 6. Ja, ich <u>liefere</u> sie nach Österreich und in die Schweiz. 7. Nein, ich <u>wandere</u> lieber an der Nordsee. 8. Doch, ich <u>bedau(e)re</u> sie natürlich. 9. Nein, ich <u>fördere</u> es jetzt nicht mehr. 10. Ja, ich <u>handle</u> natürlich immer nach dem Gesetz.

Übung 15: 1. Bügelt ihr die Handtücher denn nicht? – Nein, wir bügeln nur die Hemden und Hosen. 2. Ekelt ihr euch denn nicht vor Spinnen? – Doch, wir ekeln uns vor ihnen. 3. Zweifelt ihr etwa an der Wahrheit seiner Aussage? – Nein, wir zweifeln natürlich nicht daran. 4. Regelt ihr eure Geldangelegenheiten denn nicht selbst? – Doch, wir regeln sie natürlich selbst! 5. Ändert ihr eure Meinung? – Auf keinen Fall! Wir ändern unsere Meinung nicht! 6. Liefert ihr eure Waren auch nach Österreich? – Ja, wir liefern nach Österreich und in die Schweiz. 7. Wandert ihr gern in den Bergen? – Nein, wir wandern lieber an der Nordsee. 8. Bedauert ihr denn seine Entlassung nicht? – Doch, wir bedauern sie natürlich. 9. Fördert ihr das Moderne Museum? – Nein, wir fördern es jetzt nicht mehr. 10. Handelt ihr immer nach den Vorschriften? – Ja, wir handeln natürlich immer nach dem Gesetz.

Übung 16: Annalena will Autorin werden
Annalena (1) *studierte* Germanistik. Sie (2) *las* viel Literatur. Ein Roman (3) *gefiel* ihr besonders gut. Sie (4) *wollte* auch so ein Buch schreiben. Sie (5) *dachte*: In den Semesterferien schaffe ich es. Sie (6) *plante* einen Liebesroman von etwa 120 Seiten.
In der ersten Ferienwoche (7) *war* schönes Wetter. Annalena (8) *schlief* lange, (9) *fuhr* mit dem Rad am Fluss entlang, (10) *badete* im See, (11) *traf* ihre Freunde und (12) *feierte* ein Fest.
In der zweiten Ferienwoche (13) *regnete* es. Annalena (14) *ging* im Regen spazieren und (15) *dachte* über ihre Geschichte nach. Sie (16) *trank* viel Kaffee und (17) *aß* viel Schokolade. Aber sie (18) *schrieb* noch immer nichts.
In der dritten Ferienwoche (19) *rief* ihre Mutter an und (20) *bat* sie zu kommen. Annalena (21) *folgte* ihrer Bitte. Sie (22) *besuchte* auch ihre Großeltern. Aber sie (23) *fand* immer noch keinen Anfang für ihre Geschichte.
In der vierten Ferienwoche (24) *begann* sie endlich mit dem Roman. Sie (25) *schrieb* den ersten Satz. Er (26) *gefiel* ihr aber nicht und sie (27) *begann* immer wieder von vorne.
Sie (28) *ging* spazieren, sie (29) *ging* einkaufen, sie (30) *trank* viel Kaffee. Sie (31) *bekam* Kopfschmerzen, sie (32) *bekam* Magenschmerzen. Sie (33) *schlief* drei Nächte nicht. Am Tag (34) *war* sie müde. Sie (35) *lernte* auch nichts in der ganzen Zeit.
Schließlich (36) *gab* sie ihren Plan auf. Sie (37) *schrieb* nun doch keinen Roman. Aber sie (38) *schlief* wieder besser, sie (39) *lernte* wieder und sie (40) *trank* weniger Kaffee. Die Kopfschmerzen und die Magenschmerzen (41) *verschwanden*.
Annalena (42) *fühlte* sich wieder sehr wohl.

§ 7

Übung 1 a): Was eine Team-Assistentin alles tut
1. Sie fährt den Computer hoch. 2. Sie meldet Besucher an. 3. Sie sendet E-Mails ab. 4. Sie lädt Bewerber ein. 5. Sie spricht Termine ab. 6. Sie trägt Termine in den Kalender ein. 7. Sie legt Unterlagen ab. 8. Sie sucht Akten heraus. 9. Sie rechnet Reisekosten ab. 10. Sie weist die Praktikantin ein. 11. Sie nimmt an Sitzungen teil. 12. Sie fertigt ein Exposé an. 13. Sie holt die Post ab. 14. Sie bereitet Besprechungen vor. 15. Sie hält Kaffee und Tee bereit. 16. Sie schreibt Geschäftspartner an. 17. Sie holt Geschäftspartner vom Flughafen ab. 18. Sie druckt Tickets aus. 19. Sie füllt Formulare aus. 20. Sie nimmt Aufträge an. 21. Sie stellt Konferenzunterlagen zusammen.

Übung 1 b): Was die Team-Assistentin alles getan hat
1. Sie hat den Computer hochgefahren. 2. Sie hat Besucher angemeldet. 3. Sie hat E-Mails abgesandt. 4. Sie hat Bewerber eingeladen. 5. Sie hat Termine abgesprochen. 6. Sie hat Termine in den Kalender eingetragen. 7. Sie hat Unterlagen abgelegt. 8. Sie hat Akten herausgesucht. 9. Sie hat Reisekosten abgerechnet. 10. Sie hat die Praktikantin eingewiesen. 11. Sie hat an Sitzungen teilgenommen.

12. Sie hat ein Exposé angefertigt. 13. Sie hat die Post abgeholt. 14. Sie hat Besprechungen vorbereitet. 15. Sie hat Kaffee und Tee bereitgehalten. 16. Sie hat Geschäftspartner angeschrieben. 17. Sie hat Geschäftspartner vom Flughafen abgeholt. 18. Sie hat Tickets ausgedruckt. 19. Sie hat Formulare ausgefüllt. 20. Sie hat Aufträge angenommen. 21. Sie hat Konferenzunterlagen zusammengestellt.

Übung 1c): Was die Team-Assistentin alles tat

1. Sie fuhr den Computer hoch. 2. Sie meldete Besucher an. 3. Sie sendete E-Mails ab. 4. Sie lud Bewerber ein. 5. Sie sprach Termine ab. 6. Sie trug Termine in den Kalender ein. 7. Sie legte Unterlagen ab. 8. Sie suchte Akten heraus. 9. Sie rechnete Reisekosten ab. 10. Sie wies die Praktikantin ein. 11. Sie nahm an Sitzungen teil. 12. Sie fertigte ein Exposé an. 13. Sie holte die Post ab. 14. Sie bereitete Besprechungen vor. 15. Sie hielt Kaffee und Tee bereit. 16. Sie schrieb Geschäftspartner an. 17. Sie holte Geschäftspartner vom Flughafen ab. 18. Sie druckte Tickets aus. 19. Sie füllte Formulare aus. 20. Sie nahm Aufträge an. 21. Sie stellte Konferenzunterlagen zusammen.

Übung 2a): Vor der Reise

1. Ich lege die Sachen zusammen und packe sie ein. 2. Ich bringe den Müll hinaus. 3. Ich stelle das Gas ab. 4. Ich ziehe alle Stecker heraus. 5. Ich stecke den Reisepass und das Ticket ein. 6. Ich fordere ein Taxi zum Flughafen an. 7. Ich schließe die Wohnung ab. 8. Ich suche das Terminal auf. 9. Ich checke am Terminal ein. 10. Ich gebe das Gepäck auf. 11. Ich warte den Aufruf des Flugs ab. 12. Ich zeige am Gate die Bordkarte vor. 13. Ich steige über die Gangway ins Flugzeug ein.

Übung 2b): Vor und nach der Landung

1. Er schaltet das Handy aus. 2. Er stellt die Rückenlehne gerade. 3. Er legt den Gurt an. 4. Er hält den Pass bereit. 5. Er zeigt den Pass vor. 6. Er holt das Gepäck ab. 7. Er findet aus dem riesigen Flughafengelände heraus. 8. Er winkt ein Taxi heran. 9. Er steigt vor dem Hotel aus. 10. Er meldet sich an der Rezeption an.

Übung 3a): Hier gibt's Ärger!

1. Er schließt sie wieder zu. 2. Er dreht ihn wieder zu. 3. Er schaltet ihn wieder aus. 4. Er schiebt ihn wieder zurück. 5. Er schickt sie wieder hinein. 6. Er macht sie wieder zu. 7. Er hängt sie wieder ab. 8. Er dreht sie wieder hoch.

Übung 3b): Wie war das mit den beiden?

1. Sie hat die Tür aufgeschlossen; er hat sie wieder zugeschlossen. 2. Sie hat den Wasserhahn aufgedreht; er hat ihn wieder zugedreht. 3. Sie hat den Fernseher eingeschaltet; er hat ihn wieder ausgeschaltet. 4. Sie hat den Riegel vorgeschoben; er hat ihn wieder zurückgeschoben. 5. Sie hat die Kinder hinausgeschickt; er hat sie wieder hineingeschickt. 6. Sie hat die Fenster aufgemacht; er hat sie wieder zugemacht. 7. Sie hat die Bilder aufgehängt; er hat sie wieder abgehängt. 8. Sie hat die Heizung heruntergedreht; er hat sie wieder hochgedreht.

Übung 4: Ein folgenreicher Feierabend

1. Die Sekretärin schaltete den Computer aus. 2. Sie heftete die Papiere ab. 3. Sie stellte den Ordner weg. 4. Sie zog den Mantel an. 5. Sie schaltete das Licht aus. 6. Sie schloss das Büro ab. 7. Sie zog den Schlüssel ab. 8. Sie gab ihn beim Pförtner ab. 9. Der Pförtner nickte ihr freundlich zu. 10. Sie rief ihre Freundin an. 11. Sie lud sie in ein Restaurant ein. 12. Die Freundin brachte einen Bekannten mit. 13. Die Sekretärin nahmt ihr das ein bisschen übel. 14. Sie sah ihn kaum an. 15. Aber er stellte sie ihrer Freundin schon drei Monate später als seine Verlobte vor.

§ 8

Übung 1: 1. Der Arzt verbietet meinem Vater das Rauchen. / hat meinem Vater das Rauchen verboten. 2. Beim Spielen im Schnee empfinden die Kinder die Kälte nicht. / haben die Kinder die Kälte nicht empfunden. 3. Mit diesen Worten beendet der Referent seinen Vortrag. / hat der Referent seinen Vortrag beendet.

4. Amerikanische und europäische Wirtschaftsexperten erreichen zurzeit keine Einigung. / haben zurzeit keine Einigung erreicht. 5. Deine neue Frisur gefällt mir gut. / hat mir gut gefallen. 6. Heute bezahlt der Wirt das Bier. / hat der Wirt das Bier bezahlt. 7. Wer empfängt die Gäste? / hat die Gäste empfangen? 8. Die Schauspielerin erobert die Herzen ihrer Zuschauer. / hat die Herzen ihrer Zuschauer erobert. 9. Wir verpassen den Zug. / haben den Zug verpasst. 10. Warum besprechen wir diese Angelegenheit nicht sofort? / haben wir diese Angelegenheit nicht sofort besprochen? 11. Das Stadtparlament beschließt den Bau eines Schwimmbades. / hat den Bau eines Schwimmbades beschlossen. 12. Der Vater verspricht seinem Sohn eine Belohnung für gute Noten. / hat seinem Sohn eine Belohnung für gute Noten versprochen. 13. Du zerstörst unsere Freundschaft! / hast unsere Freundschaft zerstört! 14. Paul vergisst bestimmt wieder seinen Schlüssel! / hat bestimmt wieder seinen Schlüssel vergessen! 15. Der Architekt entwirft den Bauplan für eine Brücke. / hat den Bauplan für eine Brücke entworfen. 16. Der Fahrer beachtet die Ampel nicht und verursacht einen Unfall. / hat die Ampel nicht beachtet und (hat) einen Unfall verursacht.

Übung 2:   1. Das Mädchen versteckt / versteckte den Brief unter seinem Kopfkissen. 2. Er erklärt / erklärte mir alles genau. 3. Nach einem Streit zerreißt / zerriss die junge Frau die Heiratsurkunde. 4. Zwei Schüler vergessen / vergaßen die Hausaufgaben. 5. Die Fußballmannschaft verliert / verlor das Spiel. 6. Die Medizinstudentin besteht / bestand die erste Prüfung. 7. Ich vertraue / vertraute ihm immer. 8. Sie erfindet / erfand für ihre Kinder Märchen und Geschichten. 9. Am Stadtrand entsteht / entstand eine neue Wohnsiedlung. 10. Das Kind zerbricht / zerbrach die Vase. 11. Der Student begreift / begriff die Frage des Professors nicht. 12. Er vergleicht / verglich mich immer mit seiner früheren Freundin. 13. Sie erkennt / erkannte mich sofort. 14. Er begrüßt / begrüßte seine Gäste herzlich. 15. Der Rechtsanwalt berät / beriet ihn gut.

Übung 3:   Früher war alles anders
1. Früher <u>hat</u> er sie nie <u>vertrieben</u>. 2. Früher <u>hat</u> man nicht so schnell Personal <u>entlassen</u>. 3. Früher <u>habe</u> ich immer genug <u>bekommen</u>. 4. Früher <u>haben</u> nicht so viele Baustellen den Verkehr <u>behindert</u>. 5. Früher <u>hat</u> er nur seine Frau <u>verehrt</u>. 6. Früher <u>hat</u> sie uns auch schon <u>unterstützt</u>. 7. Früher <u>hat</u> er mich auch immer <u>überzeugt</u>, aber jetzt kenne ich ihn besser. 8. Früher <u>hat</u> sie mich nie <u>belogen</u>! 9. Früher <u>hat</u> er sie immer pünktlich <u>erledigt</u>. 10. Früher <u>hat</u> er nie Verantwortung <u>übernommen</u>. 11. Früher <u>hat</u> er selten etwas über sich <u>erzählt</u>. 12. Früher <u>haben</u> Zeitungen viel sachlicher <u>berichtet</u>.

Übung 4:   Unsere Stadt soll schöner werden!
Man hat 1. den Park erweitert. 2. Bäume angepflanzt. 3. die Gehwege verbreitert. 4. den Sportplatz vergrößert. 5. das Jugendhaus ausgebaut. 6. die alte Schule abgerissen. 7. eine neue Schule errichtet. 8. die hässliche alte Fabrik abgebrochen. 9. den Verkehrslärm eingeschränkt. 10. neue, umweltfreundliche Busse angeschafft. 11. die Straßen der Innenstadt entlastet. 12. Fußgängerzonen eingerichtet. 13. das Problem der Luftverschmutzung angegangen. 14. den Tourismus angekurbelt. 15. Stadtfeste veranstaltet. 16. die Durchfahrt des Fernverkehrs durch die Stadt verhindert. 17. die Fassade des Rathauses neu angestrichen. 18. Grünflächen eingeplant. 19. Volkshochschulkurse angeboten.

---

§ 9

Übung 1:   1. Die Autorin unterschreibt den Vertrag. / Die Autorin hat den Vertrag unterschrieben. 2. Wir umfahren die Stadt auf dem Autobahnring. / Wir haben die Stadt auf dem Autobahnring umfahren. 3. Ein betrunkener Autofahrer fährt die Laterne um. / Ein betrunkener Autofahrer hat die Laterne umgefahren. 4. Er übersetzt einen polnischen Roman. / Er hat einen polnischen Roman übersetzt. 5. Ich durchschaue die Pläne meines Konkurrenten. / Ich habe die Pläne meines Konkurrenten durchschaut. 6. Die Milch kocht über. / Die Milch ist übergekocht. 7. Warum stellst du schon wieder alle Möbel um? / Warum hast du schon wieder alle Möbel umgestellt? 8. Der Ehemann überrascht seine Frau mit einem Blumenstrauß. / Der Ehemann hat seine Frau mit einem Blumenstrauß überrascht. 9. Die Referentin unterbricht ihren Vortrag. / Die Referentin hat ihren Vortrag unterbrochen. 10. Der Laborant untersucht eine chemische Verbindung. / Der Laborant hat eine chemische Verbindung untersucht. 11. Der Politiker überlegt sich den Austritt aus seiner Partei sehr genau. / Der Politiker hat sich den Austritt aus seiner Partei sehr genau überlegt.

Übung 2: 1. Er ist beim Examen durchgefallen. 2. Ich habe die Ausrede sofort durchschaut. 3. Der Lehrer hat den Satz durchgestrichen. 4. Der Verkäufer hat das Brot in der Mitte durchgeschnitten. 5. Mein Kind schlief bis zum Morgen durch. 6. Die Extremsportler durchquerten die Wüste zu Fuß. 7. Wir haben den Betrag schon vor drei Wochen überwiesen. 8. Er fand seinen Personalausweis in seiner Tasche wieder. 9. Der Angeklagte hat sein Geständnis schon am nächsten Tag widerrufen. 10. Die Ärztin hat das Knie der Patientin untersucht.

Übung 3: Deutschkurs in der Volkshochschule
1. Ich unterrichte Deutsch als Fremdsprache in der Volkshochschule. 2. Die neuen Kurse übernehme ich immer im August. 3. Die Volkshochschule bringt ständig neue Kurse für ausländische Arbeitnehmer und Studenten in ihrem Lehrplan unter. 4. Mancher überlegt lange, ehe er sich für einen solchen Kurs entscheidet. 5. Aber nicht selten überredet auch ein Teilnehmer Bekannte zum Besuch der Deutschkurse. 6. Jeder Kursteilnehmer unterschreibt die Anmeldung und überweist die Gebühr auf das Konto der Volkshochschule. 7. Im Unterricht wiederhole ich immer zuerst den Stoff der letzten Stunde. 8. Bei Fehlern in den Hausaufgaben streiche ich Wörter oder Sätze durch. 9. Wir untersuchen Texte und unterscheiden Wortarten. 10. Die Kursteilnehmer geben den Inhalt kleiner Lesestücke wieder. 11. Ich unterstütze besonders die Anfänger. 12. Manchmal unterhalten wir uns auch über Politik. 13. Oft übernimmt sogar ein Kursteilnehmer die Diskussionsleitung. 14. Immer wieder überrascht mich jemand mit einer besonders originellen Meinung. 15. Selten widerspreche ich den Kursteilnehmern. 16. Ich halte mich meistens zurück. 17. Am Ende eines Semesters unternehmen wir stets etwas gemeinsam. 18. Wir gehen essen oder sehen uns einen deutschen Film an.

Übung 4: **a)** Du übernimmst also tatsächlich am 1. Januar das Geschäft deines Vaters? Das überrascht mich nicht, denn ich habe nicht angenommen, dass dein Vater das Geschäft weiterführt, bis er die siebzig überschritten hat.

b) Man nimmt an, dass der Buchhalter mehrere Zehntausend Euro unterschlagen hat. Lange Zeit hatte es die Firma unterlassen, die Bücher zu überprüfen. Dann aber fiel der Buchhalter durch den Kauf einer sehr großen Villa auf. Die Polizei untersuchte den Fall. Der Mann war aber verschwunden. Nach zwei Wochen fand man ihn im Haus seiner Schwester, dort war er untergekommen. Man verhaftete ihn und klagte ihn wegen Betrugs an.

§ 10

Übung 1a): 1. Ich ziehe mich an / zog mich an / habe mich angezogen. 2. Du ziehst dich um / zogst dich um / hast dich umgezogen. 3. Er entfernt sich / entfernte sich / hat sich entfernt. 4. Wir beschweren uns / beschwerten uns / haben uns beschwert. 5. Ihr erinnert euch / erinnertet euch / habt euch erinnert. 6. Sie freuen sich / freuten sich / haben sich gefreut.

Übung 1b): 1. Ich stelle mir sein Gesicht vor / stellte mir sein Gesicht vor / habe mir sein Gesicht vorgestellt.
2. Du bestellst dir ein Bier / bestelltest dir ein Bier / hast dir ein Bier bestellt. 3. Sie denkt sich eine Ausrede aus / dachte sich eine Ausrede aus / hat sich eine Ausrede ausgedacht. 4. Wir kaufen uns einen Roller / kauften uns einen Roller / haben uns einen Roller gekauft. 5. Ihr seht euch die Ausstellung an / saht euch die Ausstellung an / habt euch die Ausstellung angesehen. 6. Sie machen sich die Sache leicht / machten sich die Sache leicht / haben sich die Sache leicht gemacht.

Übung 2: Ein ganz normaler Morgen mit der Familie
1. Mein Bruder putzte sich die Zähne / hat sich die Zähne geputzt. 2. Meine Schwester duschte sich / hat sich geduscht. 3. Dann trocknete sie sich ab / hat sie sich abgetrocknet. 4. Mein Vater rasierte sich / hat sich rasiert. 5. Meine Mutter schminkte sich die Augen / hat sich die Augen geschminkt. 6. Sie malte sich die Lippen rot / hat sich die Lippen rot gemalt. 7. Ich wusch mir die Haare / habe mir die Haare gewaschen. 8. Danach machte ich mir einen Tee / habe ich mir einen Tee gemacht. 9. Großmutter holte sich Milch für ihren Milchkaffee / hat sich Milch für ihren Milchkaffee geholt. 10. Meine Schwester bereitete sich noch schnell auf ihre Klausur vor / hat sich noch schnell auf ihre Klausur vorbereitet.

11. Dann zog sie sich an / hat sie sich angezogen. 12. Mein Bruder nahm sich einfach mein Brötchen / hat sich einfach mein Brötchen genommen. 13. Ich ärgerte mich / habe mich geärgert.

Übung 3: Eine Schulklasse
1. Vor der ersten Stunde hatten sich die Schülerinnen und Schüler auf dem Flur begrüßt. 2. Eine Schülerin hatte sich bei der Lehrerin für ihr Fehlen in der letzten Woche entschuldigt. 3. Zwei neue Schülerinnen hatten sich verspätet; sie hatten den Bus verpasst. 4. Sie hatten sich nicht nach den Abfahrtszeiten erkundigt. 5. Die meisten Schülerinnen hatten sich zu Hause mit dem Unterrichtsthema beschäftigt. 6. Einige Schüler hatten sich nicht vorbereitet und langweilten sich in der Schule. 7. Die Lehrerin dachte, dass jeder den Stoff beherrscht; sie hatte sich geirrt. 8. Die Lehrerin lud die Eltern eines Schülers ein; seine Leistungen hatten sich verschlechtert. 9. Die Eltern hatten sich darüber noch keine Gedanken gemacht. 10. Alle Schülerinnen und Schüler erreichten das Klassenziel. Die Lehrerin hatte sich große Mühe gegeben.

Übung 4: Auf Reisen
1. Doch, ich erhole mich bei so einer Reise. 2. Doch, wir fürchten uns vor Schlangen. 3. Doch, wir ziehen uns zum Skifahren warm an. 4. Doch, ich ärgere mich über den Lärm im Hotel. 5. Doch, wir verstehen uns in der Reisegruppe gut. 6. Doch, ich freue mich auf die Kreuzfahrt. 7. Doch, ich informiere mich jeden Tag über die Wetterlage. 8. Doch, wir amüsieren uns während der Busfahrt gern über die Späße des Reiseleiters. 9. Doch, wir erinnern uns an unseren gemeinsamen Urlaub vor zehn Jahren. 10. Doch, ich treffe mich gern mit Bekannten zum Frühstück. 11. Doch, ich freue mich über dieses fantastische Büfett. 12. Doch, wir erkundigen uns vorher nach den Preisen der Hotelzimmer. 13. Doch, wir stellen uns in die Schlange zum Einchecken. 14. Doch, ich fürchte mich vorm Fliegen. 15. Doch, ich setze mich gern auf einen Fensterplatz. 16. Doch, ich erinnere mich gern an meine Reisen. 17. Doch, wir denken uns unsere Reiseroute selbst aus.

Übung 5: Auf Reisen
1. Hast du dich nicht bei so einer Reise erholt? – Doch, ich habe mich bei so einer Reise erholt.
2. Habt ihr euch nicht vor Schlangen gefürchtet? – Doch, wir haben uns vor Schlangen gefürchtet.
3. Habt ihr euch zum Skifahren nicht warm angezogen? – Doch, wir haben uns zum Skifahren warm angezogen. 4. Hast du dich nicht über den Lärm im Hotel geärgert? – Doch, ich habe mich über den Lärm im Hotel geärgert. 5. Habt ihr euch in der Reisegruppe nicht gut verstanden? – Doch, wir haben uns in der Reisegruppe gut verstanden. 6. Haben Sie sich nicht auf die Kreuzfahrt gefreut? – Doch, ich habe mich auf die Kreuzfahrt gefreut. 7. Hast du dich nicht jeden Tag über die Wetterlage informiert? – Doch, ich habe mich jeden Tag über die Wetterlage informiert. 8. Habt ihr euch während der Busfahrt nicht gern über die Späße des Reiseleiters amüsiert? – Doch, wir haben uns während der Busfahrt gern über die Späße des Reiseleiters amüsiert. 9. Habt ihr euch nicht mehr an unseren gemeinsamen Urlaub vor zehn Jahren erinnert? – Doch, wir haben uns an unseren gemeinsamen Urlaub vor zehn Jahren erinnert. 10. Hast du dich nicht gern mit Bekannten zum Frühstück getroffen? – Doch, ich habe mich gern mit Bekannten zum Frühstück getroffen. 11. Hast du dich nicht über dieses fantastische Büfett gefreut? – Doch, ich habe mich über dieses fantastische Büfett gefreut. 12. Habt ihr euch nicht vorher nach den Preisen der Hotelzimmer erkundigt? – Doch, wir haben uns vorher nach den Preisen der Hotelzimmer erkundigt. 13. Habt ihr euch nicht in die Schlange zum Einchecken gestellt? – Doch, wir haben uns in die Schlange zum Einchecken gestellt. 14. Hast du dich nicht vorm Fliegen gefürchtet? – Doch, ich habe mich vorm Fliegen gefürchtet. 15. Hast du dich nicht gern auf einen Fensterplatz gesetzt? – Doch, ich habe mich gern auf einen Fensterplatz gesetzt. 16. Haben Sie sich nicht gern an Ihre Reisen erinnert? – Doch, ich habe mich gern an meine Reisen erinnert. 17. Habt ihr euch eure Reiseroute nicht selbst ausgedacht? – Doch, wir haben uns unsere Reiseroute selbst ausgedacht.

Übung 6: 1. g) Das Huhn setzt <u>sich</u> ins Nest. 2. a) Erholen Sie <u>sich</u> in der Reha-Klinik? 3. b) Die Tochter schämt <u>sich</u> für ihr schlechtes Benehmen. 4. d) Wir interessieren <u>uns</u> für die Genforschung. 5. i) Erkundigst du <u>dich</u> nach der Abfahrtszeit des Zuges? 6. f) Albert Einstein beschäftigte <u>sich</u> mit Physik und Mathematik. 7. e) Ich erinnere <u>mich</u> nicht an Sie. 8. h) Wir bemühen <u>uns</u> um einen Studienplatz. 9. c) Bewerbt ihr <u>euch</u> um diese Stelle?

Übung 7:   1. b) Wir leisten <u>uns</u> eine Weltreise. 2. f) Ich leihe <u>mir</u> ein Buch aus der Bibliothek. 3. a) Die junge Familie kauft <u>sich</u> ein Haus. 4. e) Wundert ihr <u>euch</u> über seinen Erfolg? 5. c) Färben Sie <u>sich</u> die Haare? 6. d) Ich ärgere <u>mich</u> über diesen Lärm! 7. g) Du wäschst <u>dir</u> die Hände.

Übung 8:   Julia und Tina auf Stellensuche
Julia und Tina hatten <u>sich</u> nicht verabredet. Sie trafen <u>sich</u> zufällig am Alexanderplatz und entschlossen <u>sich</u>, in ein Café zu gehen.
Julia: Komm, wir setzen <u>uns</u> hier ans Fenster, da können wir die Leute beobachten. Ich bestelle <u>mir</u> einen doppelten Espresso. Was bestellst du <u>dir</u>?
Tina: Ich freue <u>mich</u> die ganze Zeit schon auf einen heißen Tee. Ich habe <u>mich</u> erkältet.
Julia: Du Arme! Aber schön, dass wir <u>uns</u> getroffen haben.
Tina: Und schön, dass wir <u>uns</u> mal in Ruhe unterhalten können. Wirklich schade, dass wir <u>uns</u> so selten sehen!
Julia: Wir werden <u>uns</u> wahrscheinlich auch in Zukunft nur selten sehen. Ich habe mich um eine Stelle an der Universitätsklinik in Wien beworben. Ich habe <u>mir</u> die Klinik auch schon angesehen. Mit dem Team dort habe ich <u>mich</u> gleich gut verstanden. Diese Tätigkeit interessiert <u>mich</u> wirklich sehr.
Tina: Ich freue <u>mich</u> für dich. Ich bemühe <u>mich</u> gerade um eine Stelle hier in Berlin. Nächste Woche stelle ich <u>mich</u> dort vor. Ich hoffe, sie nehmen <u>mich</u>. Leider rege ich <u>mich</u> immer sehr auf, wenn ich ein Vorstellungsgespräch habe. Ich werde rot und fange an zu stottern. Damit verderbe ich <u>mir</u> doch alles.
Julia: Komm, beruhige <u>dich</u>. Ich bin sicher, dass du <u>dich</u> diesmal gut beherrschen kannst.
Tina: Du hast recht. Leider muss ich <u>mich</u> jetzt schon wieder verabschieden. Ich muss <u>mich</u> beeilen, sonst verspäte ich <u>mich</u> noch. Ich habe nämlich gleich einen Arzttermin.
Julia: Alles Gute! Meine E-Mail-Adresse hast du <u>dir</u> ja aufgeschrieben. Bis bald!
Tina: Ich melde <u>mich</u>. Tschüs!

---

§ 11

Übung 1:   Im Hotel
1. Wecken Sie mich bitte um sieben Uhr! 2. Schicken Sie mir bitte das Frühstück aufs Zimmer! 3. Besorgen Sie mir bitte eine Tageszeitung! 4. Bringen Sie bitte meinen Anzug zur Reinigung! 5. Verbinden Sie mich bitte mit der Telefonauskunft! 6. Wechseln Sie mir bitte einen Hunderteuroschein! 7. Geben Sie mir bitte Kopfschmerztabletten! 8. Notieren Sie bitte die Bestellung für das Abendessen! 9. Schreiben Sie mir bitte die Rechnung! 10. Bestellen Sie mir bitte ein Taxi!

Übung 2:   Stress vor der Abfahrt
1. <u>Beeil</u> dich! 2. <u>Mach</u> endlich den Koffer zu! 3. <u>Zieh</u> endlich deinen Mantel an! 4. <u>Gib</u> mir die Flugtickets! 5. <u>Nimm</u> die Autoschlüssel mit! 6. <u>Iss</u> jetzt nicht noch von dem Kuchen! 7. <u>Hilf</u> mir doch bei meiner Krawatte! 8. <u>Ruf</u> jetzt bitte nicht noch deine Mutter an! 9. <u>Stell</u> die Alarmanlage an! 10. <u>Vergiss</u> den Hund nicht! 11. <u>Bleib</u> ganz ruhig! 12. <u>Verlier</u> nicht die Nerven!

Übung 3:   Forderungen der Bevölkerung
1. Erweitert den Park! 2. Pflanzt Bäume an! 3. Verbreitert die Gehwege! 4. Vergrößert den Sportplatz! 5. Baut das Jugendhaus aus! 6. Reißt die alte Schule ab! 7. Errichtet eine neue Schule! 8. Brecht die hässliche alte Fabrik ab! 9. Schränkt den Verkehrslärm ein! 10. Schafft neue, umweltfreundliche Busse an! 11. Entlastet die Straßen der Innenstadt! 12. Richtet Fußgängerzonen ein! 13. Geht das Problem der Luftverschmutzung an! 14. Kurbelt den Tourismus an! 15. Veranstaltet Stadtfeste! 16. Verhindert die Durchfahrt des Fernverkehrs durch die Stadt! 17. Streicht die Fassade des Rathauses neu an! 18. Plant Grünflächen ein! 19. Bietet Volkshochschulkurse an!

Übung 4:   Anweisungen an die Team-Assistentin
1. Fahren Sie bitte den Computer hoch! 2. Melden Sie bitte die Besucher an! 3. Senden Sie bitte die E-Mails ab! 4. Laden Sie bitte die Bewerber ein! 5. Sprechen Sie bitte die Termine ab! 6. Tragen Sie bitte die Termine in den Kalender ein! 7. Legen Sie bitte die Unterlagen ab!

8. Suchen Sie bitte die Akten heraus! 9. Rechnen Sie bitte die Reisekosten ab! 10. Weisen Sie bitte die Praktikantin ein! 11. Nehmen Sie bitte an den Sitzungen teil! 12. Fertigen Sie bitte ein Exposé an! 13. Holen Sie bitte die Post ab! 14. Bereiten Sie bitte die Besprechungen vor! 15. Halten Sie bitte Kaffee und Tee bereit! 16. Schreiben Sie bitte die Geschäftspartner an! 17. Holen Sie bitte die Geschäftspartner vom Flughafen ab! 18. Drucken Sie bitte die Tickets aus! 19. Füllen Sie bitte die Formulare aus! 20. Nehmen Sie bitte die Aufträge an! 21. Stellen Sie bitte die Konferenzunterlagen zusammen!

Übung 5: Anweisungen an die Fluggäste
1. Schalten Sie bitte das Handy aus! 2. Stellen Sie bitte die Rückenlehne gerade! 3. Legen Sie bitte den Gurt an! 4. Halten Sie bitte den Pass bereit! 5. Zeigen Sie bitte den Pass vor! 6. Holen Sie bitte das Gepäck ab!

Übung 6: Hier gibt's Ärger!
1. Schließ die Tür bitte wieder zu! 2. Dreh den Wasserhahn bitte wieder zu! 3. Schalte den Fernseher bitte wieder aus! 4. Schieb den Riegel bitte wieder zurück! 5. Schick die Kinder bitte wieder hinein! 6. Mach die Fenster bitte wieder zu! 7. Häng die Bilder bitte wieder ab! 8. Dreh die Heizung bitte wieder hoch!

Übung 7: So macht man ein Omelett
a) Verrühren Sie 3 Eier mit Salz und einem Esslöffel Milch. Zerlassen Sie 30 Gramm Butter in einer Pfanne. Geben Sie die Masse in die Pfanne. Schließen Sie die Pfanne mit einem Deckel. Lassen Sie die untere Seite goldbraun backen. Klappen Sie dann das Omelett zusammen. Servieren Sie das Omelett sofort.

b) Verrühr 3 Eier mit Salz und einem Esslöffel Milch. Zerlass 30 Gramm Butter in einer Pfanne. Gib die Masse in die Pfanne. Schließ die Pfanne mit einem Deckel. Lass die untere Seite goldbraun backen. Klapp dann das Omelett zusammen. Servier das Omelett sofort.

Übung 8: Fahrschule
Der Fahrlehrer sagt: 1. Steigen Sie in den Wagen ein! 2. Schließen Sie die Tür! 3. Schnallen Sie sich an! 4. Stellen Sie den Rückspiegel ein! 5. Lösen Sie die Handbremse! 6. Treten Sie zuerst die Kupplung! 7. Legen Sie den Gang ein! 8. Schauen Sie in den Außenspiegel! 9. Geben Sie vorsichtig Gas! 10. Kuppeln Sie langsam ein! 11. Fassen Sie das Lenkrad mit beiden Händen an! 12. Biegen Sie an der Ampel links ab! 13. Ordnen Sie sich jetzt rechts ein! 14. Fahren Sie an der Kreuzung geradeaus weiter! 15. Halten Sie auf dem Parkplatz an! 16. Parken Sie rückwärts ein!

§ 12

Übung 1: 1. Wir haben schon zu Mittag gegessen. 2. Ich habe ihn schon angerufen. 3. Ich habe die Fernsehzeitschrift schon gekauft. 4. Die Reisegruppe ist schon angekommen. 5. Der Zug ist schon abgefahren. 6. Ich habe das Abonnement schon gekündigt. 7. Unsere Nachbarn sind schon aus der Wohnung ausgezogen. 8. Die neuen Mieter sind schon eingezogen. 9. Wir haben uns schon eine Mikrowelle angeschafft.

Übung 2: 1. „<u>Hast</u> du geschlafen? <u>Habe</u> ich dich geweckt?" – „Ja, ich <u>bin</u> plötzlich eingeschlafen, aber ausgeschlafen <u>habe</u> ich noch nicht." 2. Die Rosen <u>haben</u> wunderbar geblüht! Aber jetzt <u>sind</u> sie leider verwelkt. 3. Wir <u>haben</u> lange auf die Gäste gewartet; jetzt <u>sind</u> sie endlich eingetroffen. 4. Der Zug <u>ist</u> um 12.15 Uhr angekommen. Er <u>hat</u> nur drei Minuten gehalten, dann <u>ist</u> er weitergefahren. 5. Die Kinder <u>haben</u> am Fluss gespielt, dabei <u>ist</u> ein Junge ins Wasser gefallen. Er <u>hat</u> um Hilfe gerufen. Ein Mann <u>hat</u> das gehört, er <u>ist</u> in den Fluss gesprungen und <u>hat</u> das Kind gerettet. 6. Durch die Zimmerdecke <u>ist</u> Wasser eingedrungen. Die Familie <u>hat</u> den Hausmeister angerufen. Er <u>ist</u> gleich gekommen und <u>hat</u> die undichte Wasserleitung repariert. 7. Ein Stein <u>ist</u> gegen mein Auto geflogen. Dadurch <u>ist</u> die Windschutzscheibe gesprungen. Ich <u>habe</u> das Auto gleich in die Werkstatt gebracht und <u>bin</u> mit der Straßenbahn nach Hause gefahren.

Übung 3:   1. Ulla hat ihre Hausaufgaben gemacht. 2. Jens hat sich mit Florian unterhalten. 3. Katharina hat Zeitung gelesen. 4. Sandra hat mit Carlo Karten gespielt. 5. Karin hat sich ein Comicheft angesehen. 6. Ulrike hat Lukas lateinische Vokabeln abgehört. 7. Christiane hat sich mit Markus gestritten. 8. Katja hat ein Gedicht auswendig gelernt. 9. Heike hat mit Stefan eine Mathematikaufgabe gelöst. 10. Iris hat etwas an die Tafel gezeichnet. 11. Claudia und Nadja haben sich Witze erzählt. 12. Wolfgang und Markus haben ihre Radtour besprochen. 13. Ich habe in der Ecke gesessen und alles beobachtet.

Übung 4:   Was hat die Familie Müller gestern gemacht?
1. Ihr Sohn ist zum Sportplatz gegangen und hat trainiert. 2. Ihre Tochter ist morgens in die Schule gegangen und hat eine Arbeit geschrieben. 3. Sie ist nachmittags in einem Schuhladen gewesen und hat Ballettschuhe gekauft. 4. Sie ist abends zum Ballettunterricht gegangen und hat neue Schritte ausprobiert. 5. Die Mutter ist zur Post gefahren und hat Pakete aufgegeben. 6. Der Vater hat den Fotoapparat zur Reparatur gebracht und (hat) sich eine neue Speicherkarte besorgt. 7. Er ist nachmittags mit den Zwillingen zum Kindergeburtstag gefahren und hat sie abends wieder abgeholt. 8. Die Zwillinge sind im Wagen eingeschlafen und der Vater hat sie ins Bett gebracht.

Übung 5:   Eine Woche Urlaub
Wir sind mit dem Auto nach Verona gefahren. Dort haben wir in einem schönen Hotel gewohnt. Am Samstag sind wir zu „Rigoletto" in die Arena von Verona gegangen. Die Oper hat zweieinhalb Stunden gedauert. Auch am Sonntag sind wir noch in Verona geblieben und haben uns die Stadt und die Umgebung angeschaut. Am Sonntagabend haben wir uns mit Freunden getroffen. Am Montag sind wir zusammen in die Toskana gefahren. Da sind wir eine Woche geblieben. Wir sind an vier Tagen zu verschiedenen Zielen gewandert. An einem Tag haben wir eine Radtour gemacht und an einem anderen eine Busfahrt. Morgens haben wir uns am Frühstücksbüfett in unserer Pension bedient und am Abend sind wir in ein Restaurant gegangen. Danach haben wir meist noch zusammengesessen, haben uns unterhalten und ferngesehen oder sind spazieren gegangen. Am Sonntag darauf sind wir wieder nach Hause zurückgefahren.

Übung 6:   Ein Umzug
1. Lars Maier hat sich Kartons besorgt und darin Wäsche und Bücher verpackt. 2. Er hat sich einen Kleinlastwagen geliehen und ist damit zu seiner alten Wohnung gefahren. 3. Freunde haben die Möbel hinuntergetragen und sie aufgeladen. 4. Dann sind die Männer zu der neuen Wohnung gefahren, haben die Möbel hineingebracht und sie aufgestellt. 5. Kerstin Maier hat das Geschirr sorgfältig in Kartons verpackt und es mit ihrem Auto transportiert. 6. In der neuen Wohnung hat sie es wieder ausgepackt und in den Schrank gestellt. Anschließend hat sie noch die Lampen aufgehängt. 7. Maiers sind mit dem Kleinlastwagen fünfmal hin und her gefahren; dann haben sie ihn zum Autoverleih zurückgebracht.

Übung 7:   Ich habe den Wecker nicht gehört und (ich) bin zu spät aufgewacht. Ich bin sofort aus dem Bett gesprungen, (ich) bin dabei mit den Zehen an den Nachttisch gestoßen und (ich) habe das Wasserglas umgeworfen. Ich habe mir die Zähne geputzt und (ich habe) kurz geduscht. Ich habe mich in aller Eile angezogen, (ich) habe frische Socken gesucht und (ich) habe sie nicht gefunden. Ich habe ein ungebügeltes Hemd angezogen und (ich habe) mir eine Krawatte umgebunden. Ich habe nur schnell einen Apfel eingesteckt, (ich) habe die Wohnung verlassen und (ich) bin die Treppe hinuntergerannt. Die Straßenbahn ist mir gerade vor der Nase weggefahren. Ich bin ungeduldig zehn Minuten lang an der Haltestelle hin und her gelaufen. Ich habe ein Taxi angehalten, aber der Taxifahrer hat die Adresse falsch verstanden und (er) hat den Wagen zunächst in die falsche Richtung gelenkt. Ich bin um 8 Uhr 30 an meinem Arbeitsplatz angekommen und (ich) habe mich bei meiner Kundin entschuldigt. Sie hat schon auf mich gewartet.

§ 13

Übung 1: 1. Die Bilder haben lange Zeit auf dem Dachboden gelegen. 2. Jetzt habe ich sie in mein Zimmer gehängt. 3. Früher haben sie in der Wohnung meiner Eltern gehangen. 4. Die Akte hat auf dem Drucker gelegen. 5. Hast du sie auf dem Drucker gelegt? 6. Ich habe die Gläser in den Schrank gestellt. 7. Die Gläser haben in der Küche gestanden. 8. Der Pfleger hat den Kranken auf einen Stuhl gesetzt. 9. Der Kranke hat ein wenig in der Sonne gesessen. 10. Die Flaschen haben im Keller gestanden. 11. Hast du sie in den Keller gestellt? 12. Vier Eier haben in dem Nest gelegen. 13. Hast du den Jungen schon ins Bett gelegt? 14. Die Familie hat sich vor den Fernseher gesetzt. 15. Dort hat sie den ganzen Abend gesessen. 16. Im Zug hat er sich auf einen Fensterplatz gesetzt.

Übung 2: Am Abend in der Wohngemeinschaft
1. Anton kommt um sieben aus der Uni. Er hängt seine Jacke an einen Haken. 2. Er stellt seinen Schirm in den Schirmständer. 3. Er legt seine Mütze auf den Rucksack. 4. Er steckt seinen Schlüssel und sein Handy in die Hosentasche. 5. Er setzt sich in einen Sessel im Wohnzimmer und schaltet den Fernseher ein. 6. Ina und Richard kommen zehn Minuten später. Sie sehen: Da hängt eine Jacke am Haken. 7. Da steht ein nasser Schirm im Schirmständer. 8. Da liegt eine Mütze auf einem Rucksack. Sie denken: Anton ist wohl schon zu Hause. 9. Sie hängen ihre Mäntel neben Antons Jacke. 10. Sie stellen ihre Schirme auch in den Schirmständer. 11. Sie legen zum Spaß seine Mütze in den Kühlschrank. 12. Sie liegt bis zum Morgen im Kühlschrank und ist eiskalt.

Übung 3: Lauras Zimmer
Als Frau Ortmann das Zimmer ihrer Tochter Laura betrat, bekam sie einen Schreck: Überall auf dem Boden lagen Schuhe, Wäsche und CDs herum. Jeans, T-Shirts und Pullover hingen über dem Sessel. Die Jacke hing über dem Stuhl. Der Papierkorb stand auf dem Tisch. In der Schultasche steckte die Jogginghose. Die Schulsachen lagen auf dem Bett. In diesem Chaos saß Laura und telefonierte. Nach einem heftigen Streit verließ Frau Ortmann das Zimmer. Laura stellte die Schuhe in den Schuhschrank. Sie stellte die CDs ins Regal. Jeans und Jacke hängte sie in den Schrank. Wäsche, Jogginghose und T-Shirts steckte sie in die Waschmaschine. Sie stellte den Papierkorb neben den Tisch. Sie legte die Schulbücher auf den Tisch und steckte den Ordner in die Schultasche. Dann setzte sich Laura in ihren Sessel und telefonierte weiter.

Übung 4: **1.** *löschen* oder *erlöschen*?
a) Sie <u>löschte</u> das Licht und ging schlafen. b) Durch den Stromausfall *sind* alle Lichter <u>erloschen</u>. c) Die Pfadfinder <u>löschten</u> das Feuer, bevor sie das Lager verließen. d) Schalten Sie auf null, dann <u>erlischt</u> die Gasflamme. e) Der Vulkan *ist* vor etwa 200 Jahren <u>erloschen</u>.

2. *(ver)senken* oder *(ver)sinken*?
a) Der Angeklagte <u>senkte</u> den Blick bei den strengen Fragen des Richters. b) Der Wert eines Autos <u>sinkt</u> von Jahr zu Jahr. c) Schon nach dem dritten Jahr *ist* der Wert des Wagens auf die Hälfte <u>gesunken</u>. d) Der Heißluftballon <u>sinkt</u> langsam zu Boden. e) Man verspricht den Wählern, dass die Steuern bald <u>sinken</u>. f) Während der letzten 24 Stunden *ist* die Temperatur um 12 Grad <u>gesunken</u>. g) Die „Titanic" stieß auf ihrer ersten Fahrt mit einem Eisberg zusammen und <u>sank</u> innerhalb von drei Stunden. h) Die Kinder <u>versanken</u> bis zu den Knien im Schnee. i) Im Jahr 79 vor Christus *ist* die Stadt Pompeji beim Ausbruch des Vesuvs in Schutt und Asche <u>versunken</u>. j) Während des Unterrichts spielen die Schüler heimlich „Schiffe <u>versenken</u>".

3. *sprengen* oder *(zer)springen*?
a) Die Bauarbeiter *haben* eine neue Straße in den Fels <u>gesprengt</u>. b) Bei der Explosion *sind* im Umkreis von 800 Metern alle Fensterscheiben <u>zersprungen</u>. c) Schon durch einen leichten Stoß *ist* die Vase <u>zersprungen</u>. d) Man muss die baufällige Brücke <u>sprengen</u>. e) Die Feder der Uhr *ist* <u>gesprungen</u>, sie muss repariert werden.

4. *verschwenden* oder *verschwinden*?

a) <u>Verschwinde</u> und lass dich hier nicht mehr sehen! b) Die Sonne <u>verschwand</u> hinter den Wolken. c) Spar dein Geld lieber und <u>verschwende</u> es nicht wieder durch unnötige Einkäufe! d) Mit diesem Mittel <u>verschwindet</u> jeder Fleck sofort. e) Er <u>verschwendete</u> sein ganzes Vermögen. f) Der Bankräuber *ist* spurlos <u>verschwunden</u>. g) Die Polizei kommt, wir <u>verschwinden</u> lieber.

5. *erschrecken, erschreckt* oder *erschrecken, erschrickt*?

a) *Hat* er dich mit seiner Karnevalsmaske sehr <u>erschreckt</u>? b) Ja, ich *bin* furchtbar <u>erschrocken</u>. c) Bei dem Unfall ist nichts passiert, aber alle *sind* sehr <u>erschrocken</u>. d) <u>Erschrick</u> bitte nicht! Gleich knallt es laut. e) Der Schüler <u>erschreckte</u> den Lehrer mit seiner Spielzeugpistole. f) Sie <u>erschrickt</u> bei jedem Geräusch. g) Wenn du mich noch mal so <u>erschreckst</u>, werde ich böse! h) Ich <u>erschrecke</u> dich bestimmt nicht mehr!

§ 14

Übung 1:   Eine Radtour von Studenten durch Sachsen
1. Auf ihrer Fahrt durch Sachsen besuchten sie zuerst ein Museum in Dresden und ein Schloss an der Elbe. 2. Später besichtigten sie eine Industrieanlage in Riesa. 3. In Leipzig besuchten sie eine Ausstellung und jeden Abend eine Theateraufführung. 4. Sie interviewten einen Manager, einen Künstler und sogar einen Politiker. 5. Nach ihrer Rückkehr erarbeiteten die Studenten eine Bilddokumentation und einen Bericht über die Tour.

Übung 2:   1. j) Der Nudelauflauf schmeckt den Kindern. 2. f) Das Medikament nützt der Patientin. 3. g) Die Kinder vertrauen den Eltern. 4. i) Die Sportanlage gehört der Gemeinde. 5. d) Wir gratulieren dem Geburtstagskind. 6. e) Die Gäste danken dem Gastgeber. 7. c) Der Jäger befiehlt dem Hund. 8. a) Der Hund gehorcht dem Jäger. 9. b) Die Trockenheit schadet den Pflanzen. 10. h) Der Detektiv folgt dem Ladendieb.

Übung 3:   1. Er ähnelt seinem Vater immer mehr. 2. Der Angeklagte antwortete dem Richter nicht. 3. Ich bin gestern einem Schulfreund begegnet. 4. Sein Vater wird ihm finanziell beistehen. 5. Meine eigene Handynummer ist mir nicht mehr eingefallen. 6. Das Geld für das Schwimmbad fehlt der Gemeinde leider. 7. Mein Hund gehorcht mir aufs Wort. 8. Das Wetter gefiel den Wanderern gar nicht. 9. Die Villa gehört einem Top-Manager. 10. Die Lösung der Aufgabe ist den Schülern nicht gelungen.

Übung 4:   Tag der offenen Tür
1. Die Unternehmerin a) erklärt den Besucherinnen und Besuchern die Abläufe im Werk. b) hat den Besucherinnen und Besuchern die Abläufe im Werk erklärt. c) erklärte den Besucherinnen und Besuchern die Abläufe im Werk.
2. Alle a) hören der Rede der Inhaberin interessiert zu. b) haben der Rede der Inhaberin interessiert zugehört. c) hörten der Rede der Inhaberin interessiert zu.
3. Die Rednerin a) dankt den Zuhörern für ihr Interesse. b) hat den Zuhörern für ihr Interesse gedankt. c) dankte den Zuhörern für ihr Interesse.
4. Viele interessierte Gäste a) folgen dem Ingenieur durch das Werk. b) sind dem Ingenieur durch das Werk gefolgt. c) folgten dem Ingenieur durch das Werk.
5. Die Führung durch das Werk a) gefällt den Gästen. b) hat den Gästen gefallen. c) gefiel den Gästen.
6. Viele Besucher a) gratulieren der Inhaberin zu der gelungenen Renovierung des Foyers. b) haben der Inhaberin zu der gelungenen Renovierung des Foyers gratuliert. c) gratulierten der Inhaberin zu der gelungenen Renovierung des Foyers.
7. Drei Monate a) genügen der Firma für die Umbauarbeiten. b) haben der Firma für die Umbauarbeiten genügt. c) genügten der Firma für die Umbauarbeiten.
8. Kaffee und Kuchen a) schmecken den Gästen besonders gut. b) haben den Gästen besonders gut geschmeckt. c) schmeckten den Gästen besonders gut.
9. Die Angestellten a) helfen den Kellnerinnen in der Kantine. b) haben den Kellnerinnen in der Kantine geholfen. c) halfen den Kellnerinnen in der Kantine.

10. Ein Auszubildender a) zeigt den Besuchern den Weg zum Parkplatz. b) hat den Besuchern den Weg zum Parkplatz gezeigt. c) zeigte den Besuchern den Weg zum Parkplatz. 11. Die Besucher a) danken den Gastgebern für die Einladung. b) haben den Gastgebern für die Einladung gedankt. c) dankten den Gastgebern für die Einladung.

Übung 5: 1. Der Geschäftsmann vertraute der Nachbarin die Pflege der Blumen an. / hat der Nachbarin die Pflege der Blumen anvertraut. 2. Er beantwortete mir die Frage. / hat mir die Frage beantwortet. 3. Der Angeklagte bewies dem Richter seine Unschuld. / hat dem Richter seine Unschuld bewiesen. 4. Der Großvater lieh seinem Enkel das Fahrrad. / hat seinem Enkel das Fahrrad geliehen. 5. Der Hausbesitzer vermietete die Wohnung der Familie mit fünf Kindern. / hat die Wohnung der Familie mit fünf Kindern vermietet. 6. Er erzählte den Kindern Märchen. / hat den Kindern Märchen erzählt. 7. Der Bürgermeister gab dem Gewinner die Urkunde. / hat dem Gewinner die Urkunde gegeben. 8. Das Fest gefiel uns. / hat uns gefallen. 9. Das Versandhaus lieferte den Kunden die Ware ins Haus. / hat den Kunden die Ware ins Haus geliefert. 10. Die Ärztin verschwieg dem Patienten die wahre Diagnose. / hat dem Patienten die wahre Diagnose verschwiegen. 11. Die Grenzbeamten verweigerten dem Touristen die Einreise. / haben dem Touristen die Einreise verweigert. 12. Der Richter entzog dem Busfahrer die Fahrerlaubnis. / hat dem Busfahrer die Fahrerlaubnis entzogen. 13. Der Motorradfahrer riss der älteren Dame im Vorbeifahren die Tasche weg. / hat der älteren Dame im Vorbeifahren die Tasche weggerissen. 14. Der Bauherr überwies der Baufirma das Geld für ihre Arbeit. / hat der Baufirma das Geld für ihre Arbeit überwiesen.

Übung 6: 1. Die Touristen verließen den Bus. 2. Ich begegnete den Touristen. 3. Die Touristinformation empfahl dem Reiseleiter das „Hotel Ritter". 4. Die Touristen stimmten dem Vorschlag zu. 5. Die Leute suchten das Hotel. 6. Ein Fußgänger zeigte der Reisegruppe den Weg. 7. Der Bus näherte sich dem Ziel. 8. Die Hotelzimmer gefielen den Gästen nicht. 9. Der Reiseleiter versprach ihnen ein besseres Hotel. 10. Die Touristen fanden den Service dort in Ordnung.

Übung 7: 1. Nein, da irren Sie sich, er hat ihr die Pflege der Blumen nicht anvertraut. 2. Nein, das stimmt nicht, er hat mir die Frage nicht beantwortet. 3. Nein, ganz im Gegenteil, er hat ihm seine Unschuld nicht bewiesen. 4. Nein, das ist nicht wahr, er hat ihm das Fahrrad nicht geliehen. 5. Nein, da irren Sie sich, er hat sie der Familie mit fünf Kindern nicht vermietet. 6. Nein, das stimmt nicht, er hat ihnen keine Märchen erzählt. 7. Nein, da irren Sie sich, er hat ihm die Urkunde nicht gegeben. 8. Nein, das ist nicht wahr, es hat uns nicht gefallen. 9. Nein, da irren Sie sich, es hat ihnen die Ware nicht ins Haus geliefert. 10. Nein das ist nicht wahr, sie hat ihm die wahre Diagnose nicht verschwiegen. 11. Nein, das stimmt nicht, sie haben ihm die Einreise nicht verweigert. 12. Nein, da irren Sie sich, er hat ihm die Fahrerlaubnis nicht entzogen. 13. Nein, das ist nicht wahr, er hat ihr im Vorbeifahren die Tasche nicht weggerissen. 14. Nein, ganz im Gegenteil, er hat ihr das Geld für ihre Arbeit nicht überwiesen.

§ 15

Übung 1: 1. Wovor fürchten sich viele Menschen? 2. Worum wollen sich die Politiker kümmern? 3. Wovon hält dein Freund nichts? 4. Auf wen schimpft er und ist wütend? 5. Wofür interessiert er sich? 6. An wen denken wir alle? 7. Worum geht es? 8. Worum kümmern sich viele nur? 9. Woran werden wir uns wohl gewöhnen? 10. Woran haben sich Menschen immer angepasst?

Übung 2: Gespräch zwischen einem Geschäftsführer (G) und seiner Assistentin (A)
A: Der Abteilungsleiter Herr Müller möchte <u>mit</u> Ihnen sprechen; es geht <u>um</u> den Auftrag unseres Großkunden.
G: Im Augenblick habe ich keine Zeit, mich <u>um</u> diese Angelegenheit zu kümmern.
A: Wollen Sie <u>an</u> der Einweihung des Neubaus teilnehmen?
G: Schreiben Sie, dass ich <u>für</u> die Einladung danke; meine Teilnahme hängt aber <u>davon</u> ab, ob ich rechtzeitig von meiner Besprechung zurück bin.
A: Eine Dame hat mich angesprochen und sich <u>um</u> die offene Stelle im Einkauf beworben.
G: Sagen Sie ihr, sie möchte sich schriftlich <u>um</u> die Stelle bewerben. <u>Damit</u> soll sich dann die Personalchefin beschäftigen.

A: Vorhin hat sich Frau Lahner <u>über</u> ihre Arbeitsbedingungen beklagt. Sie kann sich nicht <u>daran</u> gewöhnen, in einem Zimmer mit defekter Klimaanlage zu arbeiten.

G: Sagen Sie ihr, sie kann sich <u>darauf</u> verlassen, dass in den nächsten Tagen ein Handwerker kommt.

A: Der Betriebsrat hält nichts <u>davon</u>, dass die Arbeitszeiten geändert werden.

G: Dann muss man <u>über</u> eine andere Lösung nachdenken.

A: Ihre Frau hat angerufen. Ich soll Sie <u>daran</u> erinnern, die Zwillinge vom Kindergarten abzuholen.

G: Sie denkt immer, man kann sich nicht <u>auf</u> mich verlassen.

A: Unsere Verkaufsleiterin entschuldigt sich <u>bei</u> Ihnen; sie kann <u>an</u> der Teambesprechung nicht teilnehmen, da sie <u>unter</u> starken Kopfschmerzen leidet.

G: Ich hoffe <u>auf</u> baldige Besserung!

A: Viele Mitarbeiter mit Kindern beklagen sich <u>darüber</u>, dass es keinen Betriebskindergarten gibt. Sie bitten Sie <u>darum</u>, einen betriebseigenen Kindergarten zu befürworten.

G: Das hängt natürlich auch <u>davon</u> ab, wie viele Kinder <u>dafür</u> infrage kommen.

A: Ich habe mich <u>danach</u> erkundigt; es handelt sich <u>um</u> 26 Kinder.

G: Dann muss ich gar nicht <u>darüber</u> nachdenken. Mit den Zwillingen sind es 28. Ich werde mich also <u>darum</u> bemühen.

Übung 3:   Die misstrauische Studentin

1. Willst du wirklich nicht <u>an</u> diesem Seminar teilnehmen? Interessierst du dich nicht <u>für</u> dieses Thema? 2. Wie kannst du dich nur <u>vor</u> dem Tutor fürchten? Ich halte ihn <u>für</u> einen sehr freundlichen Menschen. 3. Wenn ich mich <u>daran</u> erinnere, wie sehr er sich <u>über</u> meine Fehler gefreut hat, gerate ich immer <u>in</u> Wut. 4. Hast du dich <u>bei</u> deinem Professor erkundigt, wann er <u>mit</u> dir <u>über</u> deine Doktorarbeit sprechen will? 5. Ich habe <u>damit / darauf</u> gerechnet, dass er mich anspricht. <u>Von</u> seinem Urteil hängt alles ab. 6. Aber dein Tutor wird sich doch <u>darum</u> bemühen, dass sich der Professor <u>mit</u> deiner Arbeit beschäftigt. 7. Es geht ihm doch gar nicht <u>um</u> die Sache, sondern nur <u>darum</u>, dass er mich nicht leiden kann. Der Professor weiß bestimmt nichts <u>davon</u>. 8. Ich glaube, der Professor wird schon <u>darauf</u> achten, dass alles gerecht zugeht.

Übung 4:   Die neue Stelle

Eine junge Frau spricht <u>mit</u> ihrer Freundin <u>über</u> eine ehemalige Mitschülerin in der Berufsschule: „Gestern habe ich mich <u>mit</u> Claudia getroffen. Wir haben <u>über</u> ihre neue Stelle geredet. Sie gehört <u>zu</u> den glücklichen Menschen, die sich nicht lange <u>um</u> eine Stelle bemühen mussten. Claudia hat gleich nach der Abschlussprüfung <u>mit</u> der Arbeit anfangen können. Sie sagt, dass sie sich gut <u>mit</u> ihrem Chef versteht und dass sie sich <u>auf</u> ihn verlassen kann. Wenn ihr etwas zu schwierig ist, bittet sie ihn <u>um</u> Hilfe. Er interessiert sich sehr <u>für</u> die Fortschritte, die sie macht. Dabei leidet sie <u>an</u> einer chronischen Krankheit und wundert sich <u>darüber</u>, dass sie alles so gut schafft. Sie freut sich am Freitag schon <u>auf</u> den Montag. <u>Darüber</u> staune ich am meisten. Während ich immer noch <u>auf</u> einen Arbeitsplatz warte, freut sie sich schon lange <u>über</u> ihre angenehme Tätigkeit und <u>(über)</u> ihr Gehalt. Ich mag gar nicht <u>daran</u> denken, wie lange meine Eltern wohl noch <u>für</u> mich sorgen müssen. Aber ich will mich nicht <u>darüber</u> beklagen. Gerade habe ich mich <u>um</u> eine interessante Stelle beworben. Vielleicht habe ich ja Glück!"

§ 16

Übung 1:   Interview mit einem Biobauern

1. Versprechen Sie Ihren Kunden, keine chemischen Zusatzstoffe ins Futter zu mischen? / dass Sie keine chemischen Zusatzstoffe ins Futter mischen? – Ja, ich verspreche meinen Kunden, keine chemischen Zusatzstoffe ins Futter zu mischen. / dass ich keine chemischen Zusatzstoffe ins Futter mische. 2. Hoffen Sie, für Bioprodukte einen guten Preis zu bekommen? / dass Sie für Bioprodukte einen guten Preis bekommen? – Ja, ich hoffe, für Bioprodukte einen guten Preis zu bekommen. / dass ich für Bioprodukte einen guten Preis bekomme. 3. Erwarten Sie, dass Ihre Hühner mehr Eier legen? – Nein, ich erwarte nicht, dass meine Hühner mehr Eier legen. 4. Weigern Sie sich, Ihr Gemüse an Supermärkte zu verkaufen? – Nein, ich weigere mich nicht, mein Gemüse an Supermärkte zu verkaufen.

5. Fürchten Sie nicht, dass Bio-Fleisch für viele Verbraucher zu teuer ist? – Nein, ich fürchte nicht, dass Bio-Fleisch für viele Verbraucher zu teuer ist.
6. Planen Sie, Ihren Hof zu vergrößern? – Ja, ich plane, meinen Hof zu vergrößern.
7. Verlangen Sie, dass andere Bauern Ihrem Beispiel folgen? – Nein, ich verlange nicht, dass andere Bauern meinem Beispiel folgen, aber ich hoffe, ...

Übung 2: Von der Arbeit einer Dolmetscherin
1. Die Politiker verlassen sich darauf, dass die Dolmetscherin ihre Äußerungen genau übersetzt. 2. Die Dolmetscherin hat Angst davor, dass sie einen Fehler macht. / einen Fehler zu machen. 3. Sie hat sich daran gewöhnt, dass sie gleichzeitig hört und spricht. / gleichzeitig zu hören und zu sprechen. 4. Kein Redner denkt daran, eine Pause zu machen. 5. Viele Zuhörer wundern sich darüber, dass die Dolmetscherin so schnell reagiert. 6. Dolmetscherinnen sind darauf spezialisiert, dass sie den Sinn einer Rede sofort erfassen und ihn richtig wiedergeben. / den Sinn einer Rede sofort zu erfassen und ihn richtig wiederzugeben. 7. Eine Dolmetscherin muss sich darauf einstellen, dass sie immer hoch konzentriert ist. / immer hoch konzentriert zu sein.

Übung 3: 1. Sie empfahl ihm, in ein Fachgeschäft zu gehen. 2. Sie forderte ihn auf, sich auch passende Hemden und Krawatten anzuschauen. 3. Sie schlug ihm vor, sich die Anzüge in Ruhe anzuschauen. 4. Sie riet ihm, am besten mehrere Jacketts anzuprobieren. 5. Sie warnte ihn davor, ein Billigangebot zu nehmen. 6. Sie überredete ihn, am besten einen dunklen Anzug zu wählen. 7. Sie erinnerte ihn, sich auch gleich ein Paar neue Schuhe auszusuchen.

Übung 4: 1. Mein Geschäftsfreund hat mich gebeten, nach London zu fahren. 2. Er hat (es) mir erlaubt, mit seinem Auto zu fahren. 3. Er hat mich eingeladen, ihn zu besuchen. 4. Das Reisebüro hat mir dazu geraten, im Urlaub an die Nordsee zu fahren. 5. Das Finanzamt hat mich dazu gezwungen, so viel Steuern zu zahlen. 6. Mein Nachbar hat mich dazu aufgefordert, den Fernseher so leise zu stellen. 7. Ein Polizist hat mich davor gewarnt, abends durch den Park zu gehen. 8. Mein Arzt hat mir davon abgeraten, in die Berge zu fahren.

Übung 5: 1. b) Ich kann mich nicht daran gewöhnen, dass ich jeden Morgen um fünf Uhr aufstehen muss. / jeden Morgen um fünf Uhr aufstehen zu müssen. 2. e) Warum kümmert sich der Hausbesitzer nicht darum, dass die Mieter das Treppenhaus reinigen? 3. h) Wie soll sich der Briefträger denn davor schützen, dass ihn immer wieder Hunde beißen? 4. a) Kann ich mich darauf verlassen, dass Sie mir den Kühlschrank heute noch bringen? 5. g) Ich sehne mich danach, dich dich endlich wiedersehe! / dich endlich wiederzusehen! 6. d) Du musst der Telekom Bescheid sagen, dass wir immer noch auf einen Telefonanschluss warten. 7. f) Denkt bitte im Getränkemarkt daran, dass ihr euch eine Quittung geben lasst! / euch eine Quittung geben zu lassen! 8. c) Ich habe leider nicht so viel Geld, dass ich euch eure Ferienreise finanzieren kann. / euch eure Ferienreise zu finanzieren.

Übung 6: Lösungsbeispiele:
1. Ich habe mich darüber geärgert, dass du zu spät gekommen bist. 2. Meine Eltern fürchten, dass ich ohne Abitur später keine Arbeit finde. 3. Wir alle hoffen, dass du bald wieder gesund wirst. 4. Meine Schwester glaubt, dass in allen Menschen etwas Gutes steckt. 5. Man nimmt an, dass schon die Wikinger nach Amerika gesegelt sind. 6. Mein Bruder freut sich darüber, dass er das Auto unserer Eltern benutzen darf. 7. Ich verlasse mich darauf, dass du mich morgen pünktlich um 16 Uhr abholst. 8. Ich danke dir dafür, dass du immer ehrlich zu mir warst.

Übung 7: Ein Interview mit dem Bürgermeister
1. Ja, ich habe vor, heute Abend zu der Versammlung zu kommen. 2. Nein, vor Abschluss der Untersuchungen beabsichtige ich nicht, über den Korruptionsskandal zu sprechen. 3. Ja, ich habe Informationen, dass sich weitere Firmen im neuen Industriegebiet ansiedeln werden. 4. Nein, ich freue mich, Ihnen mitteilen zu können, dass sich die Stadt im vergangenen Jahr nicht noch weiter verschuldet hat. 5. Nein, ich bin wegen des Lärms nicht bereit, mich für den Ausbau des Flughafens einzusetzen. 6. Ja, ich habe die Absicht, heute Abend auch über mein Gespräch mit der Landesregierung zu berichten. 7. Ja, ich fürchte, dass man die Eintrittspreise für das Hallenbad unbedingt erhöhen muss.

Übung 8: 1. Er vergaß, den Schlüssel mitzunehmen. 2. Wir fordern, Zootiere möglichst artgerecht zu halten. / dass man Zootiere möglichst artgerecht hält. 3. Ich habe ihn gebeten, uns sofort anzurufen. / dass er uns sofort anruft. 4. Die Behörde verlangt von den Antragstellern, die Formulare vollständig auszufüllen. / dass sie die Formulare vollständig ausfüllen. 5. Der Geschäftsmann befürchtet, dass ihn sein Partner vielleicht betrügt. 6. Der Arzt warnt den Patienten, sich nicht zu sehr anzustrengen. 7. Ich habe ihm versprochen, seine Doktorarbeit zu korrigieren. / dass ich seine Doktorarbeit korrigiere. 8. Er hat mich ermahnt, Flaschen und Papier nicht zusammen in den Mülleimer zu werfen. 9. Meinst du, dass er wirklich wieder heiraten will? 10. Wir haben sie überzeugt, sich einen kleinen Hund anzuschaffen. / dass sie sich einen kleinen Hund anschafft.

Übung 9: 1. Ich habe mich gefreut, von dir eine E-Mail erhalten zu haben. 2. Ich bedaure es, dir nicht früher geschrieben zu haben. 3. Die Schülerin behauptet, noch nie zu spät gekommen zu sein. 4. Es tut mir leid, dich nicht früher informiert zu haben. 5. Der Hauseigentümer bereut, nicht früher zu einem Architekten gegangen zu sein. 6. Es beruhigt mich, endlich ein Lebenszeichen von dir bekommen zu haben. 7. Ich hoffe sehr, Sie mit meinem Vortrag nicht gelangweilt zu haben. 8. Es ist meine Schuld, dass ich sie nicht vorher gewarnt habe. 9. Er gibt zu, das Firmengeheimnis verraten zu haben. 10. Ich entschuldige mich dafür, verschlafen zu haben und zu spät gekommen zu sein.

§ 17

Übung 1: A. fragt: 1. Habt ihr den Garten gekauft? 2. Habt ihr die Obstbäume gepflanzt? 3. Habt ihr die Beete selbst angelegt? 4. Haben die Tomaten hier genug Sonne? 5. Ist das Gartenhaus neu? 6. Habt ihr das selbst gebaut? 7. Hattet ihr einen Bauplan? 8. Ist so ein Gartenhäuschen schwer zu bauen? 9. Ist das Material dafür billig? 10. Macht so ein Garten viel Arbeit?

Übung 2: 1. Erledigen Sie Ihre Steuersachen denn nicht selbst? 2. Haben Sie denn den Steuerbescheid nicht bekommen? 3. Haben Sie sich denn nicht beschwert? 4. Haben Sie Ihren Einspruch denn nicht schriftlich eingelegt? 5. Haben Sie denn den Brief nicht sofort abgeschickt? 6. Haben Sie denn nicht sofort beim Finanzamt angerufen? 7. Haben Sie denn das Geld nicht zurückbekommen? 8. Sind Sie denn nicht zufrieden?

Übung 3: 1. Nein, er verkauft kein Hammelfleisch. / Doch, er verkauft auch Hammelfleisch. 2. Nein, er macht keine Spezialschuhe. / Doch, er macht auch Spezialschuhe. 3. Nein, er macht keine Haarverlängerungen. / Doch, er macht auch Haarverlängerungen. 4. Nein, sie hat keine Angestellten. / Doch, sie hat auch Angestellte. 5. Nein, es gibt in der Kantine keine Selbstbedienung. / Doch, es gibt in der Kantine auch Selbstbedienung. 6. Nein, es gibt in diesem Lokal keine Weinkarte. / Doch, es gibt in diesem Lokal auch eine Weinkarte. 7. Nein, abends sehen wir keine Kriminalfilme. / Doch, abends sehen wir auch Kriminalfilme. 8. Nein, sie verkauft keine Versicherungen. / Doch, sie verkauft auch Versicherungen. 9. Nein, er hat keine Klimaanlage. / Doch, er hat auch eine Klimaanlage. 10. Nein, man kann für das Fitnessstudio keine Zehnerkarten bekommen. / Doch, man kann für das Fitnessstudio auch Zehnerkarten bekommen. 11. Nein, er hat keinen Spielplatz. / Doch, er hat auch einen Spielplatz. 12. Nein, sie bietet keine Nachmittagsbetreuung an. / Doch, sie bietet auch eine Nachmittagsbetreuung an.

Übung 4: B antwortet: 1. Nein, er geht nicht mehr in den Kindergarten. 2. Nein, sie hat noch keine Stelle gefunden. 3. Nein, sie hat ihr Examen noch nicht gemacht. 4. Nein, sie arbeitet nicht mehr in dem Anwaltsbüro. 5. Nein, sie bleibt nicht mehr lange in der Firma. 6. Nein, wir haben sie noch nicht informiert. 7. Nein, er kommt nur noch im Urlaub aus Amerika zurück. 8. Nein, ich fliege erst in zwei Wochen (nach China). 9. Nein, ich habe sie noch nicht bekommen. 10. Nein, ich fliege erst nach Moskau.

Übung 5: Hausrenovierung
1. Nein, wir haben bisher erst die Rollläden vor dem Wohnzimmerfenster repariert. 2. Nein, wir haben bisher erst den Hausflur renoviert. 3. Nein, wir haben schon fast alle Türen gestrichen. 4. Nein, wir haben bisher erst die Spüle in der Küche installiert. 5. Nein, wir haben schon alle Fußböden erneuert. 6. Nein, wir haben bisher erst die Lampe im Treppenhaus aufgehängt. 7. Nein, wir haben schon gestern den Keller aufgeräumt.

Übung 6: 1. Nein, ich habe noch keine. 2. Nein, er hat noch nichts dazu gesagt. 3. Nein, ich habe ihm noch nicht geschrieben. 4. Nein, ich habe noch keine (Nachricht von ihm). 5. Nein, ich habe noch nichts von ihr gehört. 6. Nein, sie hat noch keins besorgt. 7. Nein, es sind noch nicht alle informiert.

Übung 7: 1. Nein, ich habe kein Geld mehr. 2. Nein, ich habe keine Fragen mehr. 3. Nein, ich habe nichts mehr davon übrig. 4. Nein, wir haben keine Fotos von ehemaligen Mitschülern mehr. 5. Nein, ich habe keinen Unterricht mehr. 6. Nein, ich habe keinen Wunsch mehr. 7. Nein, ich bleibe nicht mehr lange hier. 8. Nein, ich möchte keinen Wein mehr.

Übung 8: Auf dem Polizeirevier
1. Wo wohnen Sie? 2. Wann sind Sie geboren? 3. Um wie viel Uhr ist der Überfall passiert? 4. Wer hat Sie überfallen? 5. Was hat er Ihnen gestohlen? 6. Woher kam er? 7. Wohin ist er gelaufen? 8. Wie groß war der Mann ungefähr? 9. Wie sah er aus? 10. Was hatte er an? 11. Was für Schuhe trug er? 12. Wie viel Geld hatten Sie im Portemonnaie? 13. Was hatten Sie noch darin? 14. Wer hat den Überfall gesehen? 15. Was für Verletzungen haben Sie erlitten?

Übung 9 a): Beim Vorstellungsgespräch
1. Wie haben Sie sich weitergebildet? 2. Welche Kurse haben Sie besucht? 3. Haben Sie vor dem Studium eine Berufsausbildung gemacht? 4. Wo haben Sie studiert? 5. Was waren Ihre Studienfächer? 6. Mit welchen Noten haben Sie Ihre Prüfungen abgeschlossen? 7. Welche Arbeitsstellen hatten Sie schon? 8. Welche Tätigkeiten haben Sie schon ausgeübt? 9. Warum wollen Sie Ihre jetzige Arbeitsstelle verlassen? 10. Welche weiteren beruflichen Pläne haben Sie? 11. Welches sind Ihre Hobbys?

Übung 9 b): Fragen des Bewerbers
1. Wie viele Mitarbeiter hat das Unternehmen? 2. Wie ist das Unternehmen organisiert? 3. In welcher Abteilung soll ich arbeiten? 4. Wer ist mein Vorgesetzter? 5. In welchem Stockwerk befindet sich mein Arbeitsplatz? 6. Wie hoch wird mein Gehalt sein? 7. Wie viele Kollegen habe ich in der Abteilung? 8. Ist die Personalleitung bei der Wohnungssuche behilflich? 9. Wie viele Stunden in der Woche muss gearbeitet werden? 10. Wie weit ist es bis zur U-Bahn-Haltestelle?

§ 18

Übung 1: 1. Hier <u>muss</u> man auf Kinder aufpassen. 2. Hier <u>müssen</u> Sie den Verkehr auf der Hauptstraße vorlassen. 3. Hier <u>können</u> Wildtiere die Straße überqueren. 4. Diese Straße <u>darf</u> man nur in einer Richtung befahren. 5. In diese Straße <u>dürfen</u> keine Kraftfahrzeuge hineinfahren. 6. Hier <u>kann</u> man bei Nässe ins Schleudern geraten. 7. Hier <u>müssen</u> Sie links abbiegen. 8. Hier <u>dürfen / können</u> Sie geradeaus fahren oder rechts abbiegen. Sie <u>dürfen</u> aber nicht links abbiegen. 9. In dieser Straße <u>darf</u> man nicht schneller als 30 km/h fahren. 10. Hier <u>darf</u> man nicht überholen.

Übung 2 a): Parken verboten
1. <u>Darf</u> mein Wagen hier noch eine Minute <u>stehen</u>? – Nein, Ihr Wagen <u>darf</u> hier nicht noch eine Minute <u>stehen</u>. 2. <u>Muss</u> ich sofort <u>weiterfahren</u>? – Ja, Sie <u>müssen</u> sofort <u>weiterfahren</u>! 3. <u>Können</u> Sie mir einen freien Parkplatz <u>nennen</u>? – Nein, ich <u>kann</u> Ihnen keinen freien Parkplatz <u>nennen</u>! 4. <u>Soll</u> ich sofort von hier <u>verschwinden</u>? – Ja, Sie <u>sollen</u> sofort von hier <u>verschwinden</u>! 5. <u>Können</u> Sie nicht noch etwas <u>warten</u>? – Nein, ich <u>kann</u> überhaupt nicht mehr <u>warten</u>. 6. <u>Können</u> Sie keine Ausnahme <u>machen</u>? – Nein, ich <u>kann</u> keine Ausnahme <u>machen</u>! 7. <u>Sollen</u> Polizisten zu Parksündern immer freundlich <u>sein</u>? – Ja, auch zu Parksündern <u>sollen</u> wir immer freundlich sein. 8. <u>Wollen</u> Sie nicht noch ein bisschen mit mir <u>plaudern</u>? – Nein, ich <u>will</u> nicht noch ein bisschen mit Ihnen <u>plaudern</u>! 9. <u>Müssen</u> Sie sich hier um alle Falschparker <u>kümmern</u>? – Ja, ich <u>muss</u> mich um alle Falschparker <u>kümmern</u>! 10. Hallo Liebling, da bist du ja endlich. Jetzt <u>musst</u> du dich aber bei dem netten Polizisten <u>entschuldigen</u>!

Übung 2 b): Ich weiß, 1. dass mein Wagen hier nicht noch eine Minute stehen darf. 2. dass ich sofort weiterfahren muss. 3. dass Sie mir keinen freien Parkplatz nennen können. 4. dass ich sofort von hier verschwinden soll. 5. dass Sie überhaupt nicht mehr warten können. 6. dass Sie keine Ausnahme machen können.

7. dass Sie auch zu Parksündern freundlich sein sollen. 8. dass Sie nicht noch ein bisschen mit mir plaudern wollen. 9. dass Sie sich um alle Falschparker kümmern müssen.

Übung 3: Peter und Sabine Müller wollten ein Haus bauen. Dafür mussten sie lange sparen. Ein Grundstück konnten sie von der Gemeinde kaufen. Darauf durften sie laut Vorschrift nur zweistöckig bauen. Zuerst wollte Sabine Müller eine Skizze ihres Traumhauses zeichnen. Den Bauplan konnten sie aber nicht selbst machen. Dafür beauftragten sie einen Architekten; dieser sollte einen Plan für das Haus machen. Einen Teil der Baukosten konnten Peters Eltern übernehmen. Trotzdem mussten die jungen Leute noch einen Kredit aufnehmen. Dafür mussten sie die Konditionen verschiedener Banken vergleichen. Schließlich mussten sie noch zum Notar gehen. Endlich konnten sie anfangen.

Übung 4: **a)** 1. Nein, ich kann die Rechnung nicht sofort bezahlen. 2. Nein, ich kann morgen Abend nicht zu eurer Party kommen. 3. Nein, ich kann mein Motorrad nicht selbst reparieren. 4. Nein, ich kann im August nicht in Urlaub fahren. 5. Nein, ich kann mir kein neues Auto kaufen. 6. Nein, ich kann nicht Türkisch sprechen.

b) 1. Nein, am Montag muss ich mich mit meiner Arbeitsgruppe treffen. 2. Nein, nächste Woche muss ich meine Diplomarbeit vorbereiten. 3. Nein, nächstes Jahr muss ich mein Examen machen. 4. Nein, heute Abend muss ich noch viel lesen. 5. Nein, ich muss ein paar ausgeliehene Bücher zurückgeben. 6. Nein, am Sonntag muss ich zu Hause bleiben und lernen.

c) 1. Ich soll die Hauptstädte der Europäischen Union nennen? Aber ich kann sie nicht nennen. 2. Ich soll die chemischen Formeln lernen? Aber ich kann sie nicht lernen. 3. Ich soll den Umfang des Kreises berechnen? Aber ich kann ihn nicht berechnen. 4. Ich soll diese Grammatikregel erklären? Aber ich kann sie nicht erklären. 5. Ich soll den Aufsatz morgen abgeben? Aber ich kann ihn nicht morgen abgeben. 6. Ich soll meine These begründen? Aber ich kann sie nicht begründen. 7. Ich soll den Text vorlesen? Aber ich kann ihn nicht vorlesen. 8. Ich soll die Relativitätstheorie erläutern? Aber ich kann sie nicht erläutern. 9. Ich soll das Unterrichtsprotokoll schreiben? Aber ich kann es nicht schreiben. 10. Ich soll ein energiesparendes Flugobjekt erfinden? Aber ich kann keines erfinden.

Übung 5: Gar nicht so einfach
1. Ja schon, aber ich konnte sie doch nicht einreichen. 2. Ja schon, aber ich konnte sie doch nicht beenden. 3. Ja schon, aber ich konnte sie doch nicht aufgeben. 4. Ja schon, aber ich konnte ihn doch nicht danach fragen. 5. Ja schon, aber ich konnte ihn doch nicht kündigen. 6. Ja schon, aber ich konnte sie doch nicht verkaufen. 7. Ja schon, aber ich konnte sie doch nicht ändern. 8. Ja schon, aber ich konnte es doch nicht renovieren. 9. Ja schon, aber ich konnte sie doch nicht verlassen. 10. Ja schon, aber ich konnte sie doch nicht wechseln.

Übung 6: 1. Ja schon, aber ich habe sie doch nicht einreichen können. 2. Ja schon, aber ich habe sie doch nicht beenden können. 3. Ja schon, aber ich habe sie doch nicht aufgeben können. 4. Ja schon, aber ich habe ihn doch nicht danach fragen können. 5. Ja schon, aber ich habe ihn doch nicht kündigen können. 6. Ja schon, aber ich habe sie doch nicht verkaufen können. 7. Ja schon, aber ich habe sie doch nicht ändern können. 8. Ja schon, aber ich habe es doch nicht renovieren können. 9. Ja schon, aber ich habe sie doch nicht verlassen können. 10. Ja schon, aber ich habe sie doch nicht wechseln können.

Übung 7: Peter und Sabine Müller haben ein Haus bauen wollen. Dafür haben sie lange sparen müssen. Ein Grundstück haben sie von der Gemeinde kaufen können. Darauf haben sie laut Vorschrift nur zweistöckig bauen dürfen. Zuerst hat Sabine Müller eine Skizze ihres Traumhauses zeichnen wollen. Den Bauplan hat sie aber nicht selbst machen dürfen. Dafür haben sie einen Architekten beauftragt; dieser hat einen Plan für das Haus machen sollen. Einen Teil der Baukosten haben Peters Eltern übernehmen können. Trotzdem haben die jungen Leute noch einen Kredit aufnehmen müssen. Dafür haben sie die Konditionen verschiedener Banken vergleichen müssen. Schließlich haben sie noch zum Notar gehen müssen. Endlich haben sie anfangen können.

Übung 8: Nach der Versetzung in einen anderen Betriebsteil
Nein, ich brauche zum Glück 1. meinen Tagesablauf nicht zu ändern. 2. nicht früher aufzustehen. 3. nicht mit einer anderen Buslinie zu fahren. 4. für meine neue Arbeit nicht umzulernen. 5. nicht mehr herumzulaufen als bisher. 6. nicht um meinen Arbeitsplatz zu bangen. 7. nicht mit einer Lohnkürzung zu rechnen. 8. nicht länger zu arbeiten. 9. meinen Urlaub nicht zu verschieben. 10. überhaupt nichts zu ändern.

Übung 9: Eine Tänzerin erinnert sich
1. Als ich fünf Jahre alt gewesen bin, habe ich mit meinen Eltern zu einem Ballettabend gehen dürfen. 2. Ich bin begeistert gewesen, als ich die Ballerina voller Anmut zur Musik habe tanzen sehen können. 3. Seitdem habe ich nur noch tanzen lernen wollen. 4. Meine Eltern haben mich deshalb zur Tänzerin ausbilden lassen wollen. 5. Die Ballettmeisterin des Theaters hat ihnen helfen können, eine gute Ballettschule zu finden. 6. Dort habe ich zuerst meine Eignung prüfen lassen müssen. 7. Danach habe ich erfahren, dass ich jetzt habe tanzen lernen dürfen. 8. Während der Ausbildungszeit habe ich im Internat der Schule wohnen bleiben müssen. 9. Ich habe täglich viele Stunden hart üben und trainieren müssen. 10. Als ich zehn Jahre alt gewesen bin, haben meine Eltern mich schon in einer kleinen Rolle auf der Bühne tanzen sehen können.

Übung 10: 1. Haben die Politiker ihre Nebentätigkeiten überprüfen lassen müssen? – Nein, sie haben ihre Nebentätigkeiten nicht überprüfen lassen müssen. 2. Hat die Schauspielerin ihre Haare färben lassen müssen? – Nein, sie hat ihre Haare nicht färben lassen müssen. 3. Hat der Student seinen Ausweis kontrollieren lassen müssen? – Nein, er hat seinen Ausweis nicht kontrollieren lassen müssen. 4. Hat die Autofahrerin ihren Wagen im Parkverbot stehen lassen dürfen? – Nein, sie hat ihren Wagen nicht im Parkverbot stehen lassen dürfen. 5. Hat der Abiturient sein Referat von seinem Bruder schreiben lassen dürfen? – Nein, er hat sein Referat nicht von seinem Bruder schreiben lassen dürfen.

Übung 11: 1. Ich weiß, dass die Politiker ihre Nebentätigkeiten nicht haben überprüfen lassen müssen. 2. Es ist mir bekannt, dass die Schauspielerin ihre Haare nicht hat färben lassen müssen. 3. Ich weiß, dass der Student seinen Ausweis nicht hat kontrollieren lassen müssen. 4. Es ist klar, dass die Autofahrerin ihren Wagen nicht hat im Parkverbot stehen lassen dürfen. 5. Es ist verständlich, dass der Abiturient sein Referat nicht hat von seinem Bruder schreiben lassen dürfen.

Übung 12: a) Feuer!
1. Siehst du das Haus brennen? 2. Siehst du Rauch aus dem Dach quellen? 3. Hörst du die Leute um Hilfe rufen? 4. Siehst du die Feuerwehr herbeieilen? 5. Hörst du den Einsatzleiter die Kommandos geben? 6. Siehst du einen Feuerwehrmann auf die Leiter steigen? 7. Siehst du ihn ein Kind heruntertragen? 8. Hörst du die Nachbarn jubeln und klatschen?

b) Morgens in der Jugendherberge
1. Wir helfen euch die Betten machen. 2. Ich helfe dir den Kaffee kochen. 3. Wir helfen euch den Tisch decken. 4. Ich helfe dir das Frühstück austeilen. 5. Wir helfen euch das Geschirr abräumen. 6. Ich helfe dir das Geschirr spülen.

c) Beim Hausbau
1. Verlegst du die Elektroleitungen selbst? – Nein, ich lasse sie verlegen. 2. Installierst du die Heizung selbst? – Nein, ich lasse sie installieren. 3. Streichst du die Fenster selbst? – Nein, ich lasse sie streichen. 4. Baust du die Schränke selbst ein? – Nein, ich lasse sie einbauen. 5. Legst du die Wohnung selbst mit Teppichen aus? – Nein, ich lasse sie mit Teppichen auslegen. 6. Stellst du die Möbel selbst auf? – Nein, ich lasse sie aufstellen.

Übung 13: 1. Ich habe die Kinder zum Schulbus rennen sehen. 2. Ich habe den Koffer packen helfen. 3. Ich bin am Montag in die Disco tanzen gegangen. 4. Ich habe von meiner Mutter kochen gelernt. 5. Ich habe meinen Sohn reiten gelehrt. 6. Ich habe im Bodensee schwimmen gelernt. 7. Ich bin im Parkverbot stehen geblieben. 8. Ich habe den Satelliten vorbeifliegen sehen. 9. Ich bin lange auf der Terrasse sitzen geblieben. 10. Ich bin um 9 Uhr einkaufen gegangen.

Übung 14: Ich kann mich daran erinnern, 1. dass ich die Kinder habe zum Schulbus rennen sehen. 2. dass ich den Koffer habe packen helfen. 3. dass ich am Montag in die Disco tanzen gegangen bin. 4. dass ich von meiner Mutter kochen gelernt habe. 5. dass ich meinen Sohn reiten gelehrt habe. 6. dass ich im Bodensee schwimmen gelernt habe. 7. dass ich im Parkverbot stehen geblieben bin. 8. dass ich den Satelliten habe vorbeifliegen sehen. 9. dass ich lange auf der Terrasse sitzen geblieben bin. 10. dass ich um 9 Uhr einkaufen gegangen bin.

§ 19

Übung 1a): Hochbetrieb in der Küche
1. Kartoffeln werden gerieben. 2. Salz wird hinzugefügt. 3. Fleisch wird gebraten. 4. Reis wird gekocht. 5. Salat wird gewaschen. 6. Gemüse wird geschnitten. 7. Würstchen werden gegrillt. 8. Milch, Mehl und Eier werden verrührt. 9. Teig wird geknetet. 10. Kuchen wird gebacken. 11. Sahne wird geschlagen. 12. Brötchen werden belegt.

Übung 1b): Die Küchenarbeit ist beendet
1. Kartoffeln wurden gerieben. 2. Salz wurde hinzugefügt. 3. Fleisch wurde gebraten. 4. Reis wurde gekocht. 5. Salat wurde gewaschen. 6. Gemüse wurde geschnitten. 7. Würstchen wurden gegrillt. 8. Milch, Mehl und Eier wurden verrührt. 9. Teig wurde geknetet. 10. Kuchen wurde gebacken. 11. Sahne wurde geschlagen. 12. Brötchen wurden belegt.

Übung 2a): Was ist alles im Büro los?
1. Computer werden hochgefahren. 2. Besucher werden angemeldet. 3. E-Mails werden abgesandt. 4. Bewerber werden eingeladen. 5. Termine werden abgesprochen. 6. Termine werden in den Kalender eingetragen. 7. Unterlagen werden abgelegt. 8. Akten werden herausgesucht. 9. Reisekosten werden abgerechnet. 10. Praktikantinnen werden eingewiesen. 11. An Sitzungen wird teilgenommen. 12. Exposés werden angefertigt. 13. Post wird abgeholt. 14. Besprechungen werden vorbereitet. 15. Kaffee und Tee werden bereitgehalten. 16. Geschäftspartner werden angeschrieben. 17. Geschäftspartner werden vom Flughafen abgeholt. 18. Tickets werden ausgedruckt. 19. Formulare werden ausgefüllt. 20. Aufträge werden angenommen. 21. Konferenzunterlagen werden zusammengestellt.

Übung 2b): Was war los im Büro?
1. Computer wurden hochgefahren. 2. Besucher wurden angemeldet. 3. E-Mails wurden abgesandt. 4. Bewerber wurden eingeladen. 5. Termine wurden abgesprochen. 6. Termine wurden in den Kalender eingetragen. 7. Unterlagen wurden abgelegt. 8. Akten wurden herausgesucht. 9. Reisekosten wurden abgerechnet. 10. Praktikantinnen wurden eingewiesen. 11. An Sitzungen wurde teilgenommen. 12. Exposés wurden angefertigt. 13. Post wurde abgeholt. 14. Besprechungen wurden vorbereitet. 15. Kaffee und Tee wurden bereitgehalten. 16. Geschäftspartner wurden angeschrieben. 17. Geschäftspartner wurden vom Flughafen abgeholt. 18. Tickets wurden ausgedruckt. 19. Formulare wurden ausgefüllt. 20. Aufträge wurden angenommen. 21. Konferenzunterlagen wurden zusammengestellt.

Übung 3: 1. In der Kirche wird gebetet. 2. In der Schule wird gelernt. 3. An der Kasse wird bezahlt. 4. Auf dem Sportplatz wird Fußball gespielt. 5. In der Diskothek wird getanzt. 6. In der Küche wird gekocht. 7. In der Bäckerei wird Brot gebacken. 8. Beim Friseur werden (die) Haare geschnitten. 9. Im Schwimmbad wird geschwommen. 10. In der Knopffabrik werden Knöpfe hergestellt. 11. Im Zeitungsverlag werden Zeitungen produziert. 12. Beim Schuhmacher werden Schuhe repariert. 13. Auf dem Eis wird Schlittschuh gelaufen. 14. In der Wäscherei wird Wäsche gewaschen. 15. An der Universität wird studiert.

Übung 4: Im Fachgeschäft für Heimelektronik
1. Unser Service wird Ihnen gratis angeboten. 2. Die Bedienung der Geräte wird ausführlich erklärt. 3. Die gekauften Geräte werden ins Haus geliefert. 4. Die Geräte werden sofort angeschlossen. 5. Satellitenschüsseln werden kostenlos installiert. 6. Defekte Fernseher werden zur Reparatur abgeholt. 7. Unsere Sonderangebote werden Ihnen vorgestellt. 8. Leere Batterien und alte Akkus werden umweltgerecht entsorgt.

Übung 5 a): Was in einem Unrechtsstaat geschieht
1. Parteigegner werden bedroht. 2. Bauern werden enteignet. 3. Unschuldige werden verurteilt. 4. Journalisten werden verfolgt. 5. Spitzel werden bezahlt. 6. Die Zeitungen werden zensiert. 7. Nachrichten in Rundfunk und Fernsehen werden gefälscht. 8. Unschuldige werden ins Gefängnis gesteckt. 9. Die Gefangenen werden misshandelt. 10. Die freie Meinung wird unterdrückt.

Übung 5 b): Was in einem Rechtsstaat geschieht
1. Es wird die Diskriminierung von Minderheiten verboten. / Die Diskriminierung von Minderheiten wird verboten. 2. Es wird ein Parlament gewählt. / Ein Parlament wird gewählt. 3. Es werden die Menschenrechte geachtet. / Die Menschenrechte werden geachtet. 4. Es wird Informationsfreiheit gewährt. / Informationsfreiheit wird gewährt. 5. Es wird Korruption bekämpft. / Korruption wird bekämpft. 6. Es werden Schwache unterstützt. / Schwache werden unterstützt. 7. Es wird für Chancengleichheit gesorgt. / Für Chancengleichheit wird gesorgt. 8. Es wird die Unabhängigkeit der Gerichte gesichert. / Die Unabhängigkeit der Gerichte wird gesichert. 9. Es wird freie Meinungsäußerung ermöglicht. / Freie Meinungsäußerung wird ermöglicht. 10. Es wird eine politische Opposition zugelassen. / Eine politische Opposition wird zugelassen.

Übung 6 a): Was war in letzter Zeit los in der Stadt?
1. Eine Mozartoper und ein Musical wurden aufgeführt. 2. Die Landesgartenschau wurde eröffnet. 3. Ein Komponist wurde geehrt. 4. Eine Schriftstellerin wurde zur Ehrenbürgerin der Stadt ernannt. 5. Ein Denkmal zur Erinnerung an einen bedeutenden Pädagogen wurde errichtet. 6. Ein Hallenbad wurde eingeweiht. 7. Ein Open-Air-Filmfestival wurde veranstaltet. 8. Das Rathaus wurde renoviert. 9. Ein Pandabär wurde im Zoo geboren. 10. Die Straßenbeleuchtung wurde erneuert.

Übung 6 b): Was war in letzter Zeit los in der Stadt?
1. Eine Mozartoper und ein Musical sind aufgeführt worden. 2. Die Landesgartenschau ist eröffnet worden. 3. Ein Komponist ist geehrt worden. 4. Eine Schriftstellerin ist zur Ehrenbürgerin der Stadt ernannt worden. 5. Ein Denkmal zur Erinnerung an einen bedeutenden Pädagogen ist errichtet worden. 6. Ein Hallenbad ist eingeweiht worden. 7. Ein Open-Air-Filmfestival ist veranstaltet worden. 8. Das Rathaus ist renoviert worden. 9. Ein Pandabär ist im Zoo geboren worden. 10. Die Straßenbeleuchtung ist erneuert worden.

Übung 7: Informationen aus zweiter Hand
Lösungsbeispiele: 1. Es wurde berichtet, dass der Bundesfinanzminister zurücktreten möchte. 2. Es wurde versichert, dass keine Arbeitsplätze abgebaut werden. 3. Es wurde behauptet, dass ein Investor gefunden sei. 4. Es wurde befürchtet, dass dennoch Arbeitsplätze verloren gehen. 5. Es wurde bewiesen, dass das Management Fehlentscheidungen getroffen hatte. 6. Es wurde gemeldet, dass der gesamte Vorstand zurückgetreten sei. 7. Es wurde angenommen, dass auch Schmiergeldzahlungen erfolgt sind. 8. Es wurde dargelegt, dass der Aufsichtsrat von nichts wusste. 9. Es wurde beabsichtigt, dass der Staat eine Bürgschaft übernimmt. 10. Es wurde darauf hingewiesen, dass die Zukunft des Unternehmens weiterhin ungewiss sei.

Übung 8: Warum 1. sind Parteigegner bedroht worden? 2. sind Bauern enteignet worden? 3. sind Unschuldige verurteilt worden? 4. sind Journalisten verfolgt worden? 5. sind Spitzel bezahlt worden? 6. sind die Zeitungen zensiert worden? 7. sind Nachrichten in Rundfunk und Fernsehen gefälscht worden? 8. sind Unschuldige ins Gefängnis gesteckt worden? 9. sind die Gefangenen misshandelt worden? 10. ist die freie Meinung unterdrückt worden?

Übung 9: 1. Ich bin nicht darum gebeten worden. 2. Ich bin nicht dazu aufgefordert worden. 3. Ich bin nicht eingestellt worden. 4. Ich bin nicht eingeladen worden. 5. Ich bin nicht geschädigt worden. 6. Ich bin nicht darüber informiert worden. 7. Ich bin nicht abgeholt worden. 8. Ich bin nicht kontrolliert worden. 9. Ich bin nicht davor gewarnt worden. 10. Ich bin nicht gewählt worden.

Übung 10: a) Umweltschützer fordern:
1. Die Seen dürfen auf keinen Fall länger verunreinigt werden. 2. Die Luft darf unter keinen Umständen länger verpestet werden. 3. Die Erde darf unter gar keinen Umständen länger verseucht werden.

4. Pflanzen und Tiere dürfen nicht länger vergiftet werden. 5. Der Lebensraum von Vögeln darf nicht länger vernichtet werden. 6. Giftige Abfälle dürfen unter keinen Umständen länger ins Meer geworfen werden. 7. Der Regenwald darf auf keinen Fall länger zerstört werden. 8. Die Gesundheit der Mitmenschen durch Lärm darf nicht länger gefährdet werden.

b) Von den Aufgaben einer Krankenschwester
1. Die Patienten müssen gewogen werden. 2. Der Blutdruck der Kranken muss gemessen werden. 3. Medikamente müssen ausgeteilt werden. 4. Den Kranken müssen Spritzen gegeben werden. 5. Den Patienten muss Blut abgenommen werden. 6. Die Blutproben müssen ins Labor geschickt werden. 7. Karteikarten müssen ausgefüllt werden. 8. Die Kranken müssen getröstet und beruhigt werden.

Übung 11: a) Auf dem Weg in den Urlaub
Auf der Autobahn 1. können andere Autos überholt werden. 2. kann beschleunigt und gebremst werden. 3. können die Fahrspuren gewechselt werden. 4. kann stundenlang im Stau gestanden werden. 5. kann der Verkehrsfunk gehört werden. 6. kann über andere Fahrer geschimpft werden. 7. kann der Standstreifen benutzt werden. 8. kann bei Pannen an Notrufsäulen angerufen werden.

b) An der Raststätte 1. kann eine Erholungspause gemacht werden. 2. kann ein Restaurant besucht werden. 3. kann Kaffee getrunken werden. 4. können belegte Brötchen gegessen werden. 5. können die Toiletten benutzt werden. 6. können Zeitungen gekauft werden. 7. können Getränke besorgt werden. 8. kann telefoniert werden.

Übung 12 a): Am Morgen in der Autowerkstatt: Was gemacht werden soll
1. Die Bremsbeläge sollen erneuert werden. 2. Die Zündkerzen sollen ausgewechselt werden. 3. Der Ölfilter soll ausgetauscht werden. 4. Ein Autoradio soll eingebaut werden. 5. Ein Ölwechsel soll durchgeführt werden. 6. Die Lichtmaschine soll kontrolliert werden. 7. Die Kühlflüssigkeit soll aufgefüllt werden. 8. Lackschäden sollen ausgebessert werden. 9. Die Reifen sollen gewechselt werden.

Übung 12 b): Am Abend in der Werkstatt: Was im Lauf des Tages gemacht worden ist 1. Die Bremsbeläge sind erneuert worden. 2. Die Zündkerzen sind ausgewechselt worden. 3. Der Ölfilter ist ausgetauscht worden. 4. Ein Autoradio ist eingebaut worden. 5. Ein Ölwechsel ist durchgeführt worden. 6. Die Lichtmaschine ist kontrolliert worden. 7. Die Kühlflüssigkeit ist aufgefüllt worden. 8. Lackschäden sind ausgebessert worden. 9. Die Reifen sind gewechselt worden.

Übung 13: Brand in der Großmarkthalle
Gestern Abend wurde der Feuerwehr ein leichter Brandgeruch in der Nähe der Großmarkthalle gemeldet. Sofort wurden drei Feuerwehrwagen an den Ort geschickt, aber zunächst konnte der Brandherd nicht festgestellt werden, weil der Eingang zur Halle mit Kisten versperrt worden war. Als die Sachen endlich weggeräumt worden waren, musste noch das eiserne Gitter vor dem Hallentor aufgesägt werden, denn in der Eile war vergessen worden, die Schlüssel zu besorgen. Immer wieder mussten die neugierigen Zuschauer zurückgedrängt werden. Nachdem die Türen aufgebrochen worden waren, wurden die Löschschläuche in das Innere der Halle gerichtet. Erst nach etwa zwei Stunden konnte das Feuer unter Kontrolle gebracht werden. Es wurde bekannt gegeben, dass etwa die Hälfte aller Waren in der Markthalle vernichtet worden war. Erst spät in der Nacht wurden die letzten Brandwachen vom Unglücksort abgezogen.

§ 20

Übung 1: Eifersucht
A: Der Club soll „Kultfabrik" oder so ähnlich heißen.
B: Deine Freundin Eva will auch schon dort gewesen sein.
A: Das kann nicht stimmen.
B: Sie will dort mit deinem Freund Peter getanzt haben.
A: Das muss gelogen sein!
B: Sie will nicht nur mit ihm getanzt haben.

A: Wo soll das gewesen sein?
B: Na, in dem Club. Da sollen sich viele Paare finden.
A: Das können nur Lügen sein, um mich von Peter zu trennen.
B: Kein Rauch ohne Feuer! Irgendetwas muss da wohl gewesen sein.

Übung 2: Aus der Zeitung
Die Polizei *soll* (unbestätigte Aussage; genauere Informationen fehlen) zwei Frauen aus Hessen festgenommen haben. Sie *sollen* (unbestätigte Aussage) in einem Hotel auf Sylt eine Rechnung von 5000 Euro nicht bezahlt haben. Der Hotelier *muss* (Vermutung mit ca. 90%iger Sicherheit) durch das elegante Auftreten der Frauen getäuscht worden sein. Im Hotel *sollen* (unbestätigte Aussage) sie zwei Suiten gemietet und zum Frühstück Champagner bestellt haben. Die beiden *sollen* (unbestätigte Aussage) auch in anderen Hotels Urlaub gemacht und hohe Rechnungen nicht bezahlt haben. Außerdem *müssen* (Vermutung mit ca. 90%iger Sicherheit) sie sich die teuersten Schuhe, Kleider und Handtaschen bestellt haben. Ein Versandhändler *soll* (unbestätigte Aussage) nicht bezahlte Waren für 6000 Euro geliefert haben. Die beiden Frauen *wollen* (unbewiesene Behauptung) aus Frustration über ihre schwierigen Lebensverhältnisse diese Straftaten begangen haben. Man *kann* (Vermutung mit 50%iger Sicherheit/Unsicherheit) damit rechnen, dass die beiden eine Haftstrafe bekommen.

Übung 3: 1. Er hat zwei unterschiedliche Socken an! Wer das nicht sieht, <u>muss</u> (Vermutung mit ca. 90%iger Sicherheit) blind sein. 2. Da <u>magst</u> (Vermutung, aber Unsicherheit) du recht haben, aber es ist eigentlich unwichtig. 3. Diese Schauspielerin <u>soll</u> (unbestätigte Aussage) 50 Jahre alt sein, so steht es in der Zeitung. Sie sieht aber aus wie dreißig! 4. Der Junge <u>will</u> (unbewiesene Behauptung; es bestehen Zweifel) die Geldbörse gefunden haben, aber er wurde dabei beobachtet, wie er sie einer Frau aus der Tasche nahm. 5. „Er <u>soll</u> (unbestätigte Aussage) ein Vermögen von zwei bis drei Millionen besitzen, habe ich gehört." – „Also das <u>muss</u> (Vermutung mit ca. 90%iger Sicherheit) übertrieben sein. Es <u>kann / könnte / mag</u> (die Möglichkeit besteht; Vermutung, aber Beweise fehlen; größere Unsicherheit) sein, dass er sehr reich ist, aber so reich sicher nicht!" 6. Es ist schon zehn Uhr. Der Briefträger <u>müsste / sollte</u> (es ist sehr wahrscheinlich; es wäre seine Pflicht) eigentlich schon da gewesen sein. 7. Diese Mahnung <u>muss</u> (Vermutung mit ca. 90%iger Sicherheit) ein Irrtum sein! Ich habe die Rechnung doch schon längst bezahlt! 8. Den Aufsatz <u>will</u> (unbewiesene Behauptung; es bestehen Zweifel) sie selbst geschrieben haben, aber das glaube ich ihr nicht. 9. Er ist vor einer halben Stunde weggegangen. Er <u>müsste / sollte / könnte</u> (es ist sehr wahrscheinlich; es wäre seine Pflicht; es ist zu 50% möglich) jetzt schon im Büro sein. 10. Es <u>muss</u> (Vermutung mit ca. 90%iger Sicherheit) heute Nacht sehr kalt gewesen sein; die Straßen sind ganz vereist.

Übung 4: 1. Im städtischen Krankenhaus *sollen* (unbestätigte Aussage; genauere Informationen fehlen) viele Millionen Euro veruntreut worden sein. 2. Ein junger Arzt *will* (unbewiesene Behauptung; es bestehen Zweifel) gehört haben, dass die Medikamente für das Krankenhaus gleich wieder verkauft worden seien. 3. Es *könnten* (Vermutung mit 50%iger Sicherheit/Unsicherheit) unter den verschwundenen Medikamenten auch Drogen gewesen sein. 4. Ein verhafteter Drogendealer *will* (unbewiesene Behauptung; es bestehen Zweifel) seinen „Stoff" immer am Hintereingang des Krankenhauses abgeholt haben. 5. Auch Verbandszeug und Kopfschmerztabletten *könnten* (Vermutung mit 50%iger Sicherheit/Unsicherheit) verschoben worden sein. 6. Die Krankenschwestern und Pfleger *könnten* (Vermutung mit 50%iger Sicherheit/Unsicherheit) davon gar nichts gewusst haben. 7. Der Chefarzt *soll* (unbestätigte Aussage; genauere Informationen fehlen) vor Kurzem die Tochter des Gesundheitsministers geheiratet haben. 8. Die Beamten des Gesundheitsministeriums *müssen* (Vermutung mit ca. 90%iger Sicherheit/Wahrscheinlichkeit) über die Unterschlagungen im Krankenhaus schon seit Langem informiert gewesen sein. 9. Einige Beamte *könnten* (Vermutung mit 50%iger Sicherheit/Unsicherheit) sogar bestochen worden sein. 10. Außerdem *sollen* (unbestätigte Aussage; genauere Informationen fehlen) alle Akten aus den Geschäftsräumen des Krankenhauses verschwunden sein. 11. Laut einem Zeitungsartikel *soll* (unbestätigte Aussage; genauere Informationen fehlen) der Chefarzt in der vorigen Woche 450 000 Euro von seinem Konto abgehoben haben. 12. Der Prozess gegen die Verantwortlichen *könnte* (Vermutung mit ca. 50%iger Sicherheit/Unsicherheit) noch in diesem Jahr eröffnet werden.

§ 21

Übung 1: Sie wird 1. vermutlich mit ihnen einen Einkaufsbummel machen. 2. wahrscheinlich am Bahnhof Zoo zu Mittag essen. 3. vielleicht einen Film ansehen. 4. vermutlich eine Schifffahrt auf der Spree machen. 5. wohl im Wannsee baden. 6. vermutlich die neue Nationalgalerie besuchen. 7. wahrscheinlich in die Komische Oper gehen. 8. sich vielleicht mit einem Bekannten treffen. 9. vermutlich den Fernsehturm besteigen. 10. wahrscheinlich das Reichstagsgebäude besichtigen.

Übung 2: Sie wird 1. die CDs schon wieder ins Regal eingeordnet haben. 2. sich schon umgezogen haben. 3. die Flaschen schon ausgeleert haben. 4. die Wohnung schon aufgeräumt haben. 5. die Möbel schon an ihren Platz zurückgestellt haben. 6. das Geschirr schon in die Spülmaschine gestellt haben. 7. die Fenster schon zum Lüften geöffnet haben. 8. den Teppichboden schon gesaugt haben. 9. sich schon abgeschminkt haben. 10. sich schon die Zähne geputzt haben.

Übung 3 a): Werden die Kinder 1. die Pflanzen gegossen haben? 2. das Geschirr gespült haben? 3. Lebensmittel eingekauft haben? 4. immer die Post aus dem Briefkasten geholt haben? 5. jeden Tag ihre Hausaufgaben gemacht haben? 6. den Rasen gemäht haben? 7. den Kühlschrank abgetaut haben? 8. regelmäßig den Müll hinausgebracht haben?

Übung 3 b): Werden sie 1. zum Karneval nach Köln gefahren sein? 2. abends zu lange aufgeblieben sein? 3. immer erst nach Mitternacht eingeschlafen sein? 4. morgens zu spät aufgewacht sein? 5. verschlafen in die Schule gekommen sein? 6. die Nachbarn durch laute Musik geärgert haben?

Übung 4: Nach einem Unfall
1. Der Lastwagen wird inzwischen aus dem Graben gezogen worden sein. 2. Die Polizei wird sofort benachrichtigt worden sein. 3. Niemand wird ernstlich verletzt worden sein. 4. Dem betrunkenen Fahrer wird der Führerschein entzogen worden sein. 5. Die Ladung wird inzwischen von einem anderen Lastwagen übernommen worden sein.

---

§ 22

Übung 1: In der Verkaufsabteilung
1. Ja, ich habe sie ihr gegeben. 2. Ja, wir haben sie ihm schon gefaxt. 3. Ja, wir haben sie ihm schon überwiesen. 4. Ja, er hat ihn auch ihnen angeboten. 5. Ja, er hat sie auch ihnen empfohlen. 6. Ja, sie hat sie schon veröffentlicht. 7. Ja, wir können sie ihm zurückschicken. 8. Ja, er hat sie ihr fest zugesagt. 9. Ja, er zahlt sie immer pünktlich. 10. Ja, sie haben sie schon erhalten. 11. Ja, es liefert sie ihnen kostenlos ins Haus. 12. Ja, sie hat sie ihr schon zugesandt.

Übung 2: 1. Hat der Geschäftsmann der Nachbarin die Pflege der Blumen anvertraut? – Ja, er hat sie ihr anvertraut. 2. Hat er mir die Frage beantwortet? – Ja, er hat sie mir beantwortet. 3. Hat der Angeklagte dem Richter seine Unschuld bewiesen? – Ja, er hat sie ihm bewiesen. 4. Hat der Großvater seinem Enkel das Fahrrad geliehen? – Ja, er hat es ihm geliehen. 5. Hat der Hausbesitzer der Familie mit fünf Kindern die Wohnung vermietet? – Ja, er hat sie ihr vermietet. 6. Hat er den Kindern Märchen erzählt? – Ja, er hat sie ihnen erzählt. 7. Hat der Bürgermeister dem Gewinner die Urkunde gegeben? – Ja, er hat sie ihm gegeben. 8. Hat uns das Fest gefallen?– Ja, es hat uns gefallen. 9. Hat das Versandhaus den Kunden die Ware ins Haus geliefert? – Ja, es hat sie ihnen ins Haus geliefert. 10. Hat die Ärztin dem Patienten die wahre Diagnose verschwiegen? – Ja, sie hat sie ihm verschwiegen. 11. Haben die Grenzbeamten dem Touristen die Einreise verweigert? – Ja, sie haben sie ihm verweigert. 12. Hat der Richter dem Busfahrer die Fahrerlaubnis entzogen? – Ja, er hat sie ihm entzogen. 13. Hat der Motorradfahrer der älteren Dame die Tasche im Vorbeifahren weggerissen? – Ja, er hat sie ihr im Vorbeifahren weggerissen. 14. Hat der Bauherr der Baufirma das Geld für ihre Arbeit überwiesen? – Ja, er hat es ihr überwiesen.

Übung 3: 1. Hast du deinem Freund dein Auto geliehen? 2. Hast du der Kollegin die Dateien geschickt? 3. Hast du deinen Eltern deine Entscheidung mitgeteilt? 4. Hast du den Kindern den Fußball gegeben? 5. Hast du deiner Tochter die Reise bezahlt? 6. Hast du deinem Mann das Schokoladenherz zum Valentinstag geschenkt? 7. Hast du deinem Bruder die Wahrheit gesagt? 8. Hast du deinem Vater deine Schulden verschwiegen? 9. Hast du deiner Cousine die Urlaubsfotos gezeigt? 10. Hast du deinen Neffen dein Haus vererbt? 11. Hast du der Psychologin das Erlebnis erzählt? 12. Hast du den Touristen die neue Pizzeria empfohlen?

Übung 4: 1. *Heute* hat er mich wieder furchtbar geärgert. 2. *Gestern* hat es dir dein Vater doch ganz anders dargestellt. 3. *Zufällig* haben wir ihn auf dem Weg nach Hause getroffen. 4. *Die Frage* hat er mir leider immer noch nicht beantwortet. 5. *Seit zehn Jahren* steht der Koffer bei uns im Keller. 6. *Mich* habt ihr überhaupt nicht beachtet. 7. *Trotz der Sonnenbrille* hat ihn der Zeuge sofort erkannt. 8. *Wütend* schlug sie ihm die Tür vor der Nase zu. 9. *In der Nacht* hat es stark geregnet. 10. *Bis heute* hat sie es mir verschwiegen. 11. *Seiner Partei* hat er mit diesem Interview sehr geschadet. 12. *Jeden Samstag* bringt mir der Bäcker die Brötchen ins Haus. 13. *Natürlich* ist sie immer vorsichtig gefahren. 14. *Übermorgen* bekommen wir die Deutschklausur zurück. 15. *Vorsichtshalber* erklärte sie uns die ganze Sache noch einmal. 16. *Schon seit Langem* hat ihnen der Nachbar misstraut. 17. *Mir* geht es eigentlich gut. 18. *Bestimmt* hat es euch meine Mutter schon erzählt.

Übung 5: In der Bank
1. Der Bankangestellte führte die Besucher in den Tresorraum der Bank. Dort zeigte er ihnen die Schließfächer. 2. Die Bank musste den Kreditvertrag eines 17-Jährigen wieder stornieren. Die Eltern hatten ihn nicht genehmigt. 3. Ein Rentner bat die Kassiererin um 10 000 Euro aus seinem Guthaben. Sie zahlte ihm das Geld in einem Nebenraum aus. 4. Der Geldautomat gab die Bankkarte eines Studenten nicht wieder heraus. Er bekam sie später am Schalter zurück. 5. Ein Mann hatte am Geldautomaten sein Portemonnaie vergessen. Am nächsten Tag konnte er es in der Bank abholen. Eine Frau hatte es abgegeben. 6. Eine Dame hatte ihr ganzes Geld ihren Enkeln vererbt. Der Notar ließ es ihnen durch die Bank überweisen. 7. Meine Kontoauszüge bekomme ich aus dem Automaten. Er druckt sie mir sofort aus. 8. Eine Studentin bat den Kundenberater um einen Kredit, aber er gab ihn ihr nicht.

Übung 6: In der Verkaufsabteilung
1. Die Werbeagentur hat letzte Woche die Werbekampagne für das neue Produkt vorbereitet. / Die Werbeagentur hat die Werbekampagne für das neue Produkt letzte Woche vorbereitet. 2. Der Vertreter teilte uns gestern mit einem Fax seine Ankunft in New York mit. / Der Vertreter teilte uns seine Ankunft in New York gestern mit einem Fax mit. 3. Die Geschäftsleitung machte heute die Verkäufer mit den neuen Bestimmungen bekannt. / Die Geschäftsleitung machte die Verkäufer heute mit den neuen Bestimmungen bekannt. 4. Wir können Ihnen die neuen Geräte wahrscheinlich erst am kommenden Montag ausliefern. / Wir können Ihnen wahrscheinlich erst am kommenden Montag die neuen Geräte ausliefern. 5. Der Großkunde hat heute Morgen den Liefervertrag zum Jahresende gekündigt. 6. Unser Betrieb hat drei Maschinen per Lkw nach Österreich geliefert. / Unser Betrieb hat per Lkw drei Maschinen nach Österreich geliefert. 7. Die Maschinen sind wegen des Schneefalls erst am Freitagmorgen in Wien angekommen. 8. Der Kunde hat dem Lkw-Fahrer eine Kiste Wein als Weihnachtsgeschenk für unsere Vertreterin mitgegeben. / Der Kunde hat dem Lkw-Fahrer als Weihnachtsgeschenk für unsere Vertreterin eine Kiste Wein mitgegeben. / Der Kunde hat dem Lkw-Fahrer für unsere Vertreterin eine Kiste Wein als Weihnachtsgeschenk mitgegeben. 9. Wir bezahlen dem Kunden wegen der verspäteten Lieferung die Kosten für den Transport. / Wir bezahlen wegen der verspäteten Lieferung dem Kunden die Kosten für den Transport. 10. Wir bieten unseren Abnehmern die neuen Geräte ab Mitte März im Internet an. / Wir bieten die neuen Geräte unseren Abnehmern ab Mitte März im Internet an. / Wir bieten ab Mitte März unseren Abnehmern die neuen Geräte im Internet an.

Übung 7:   In der Verkaufsabteilung
1. *Letzte Woche* hat die Werbeagentur die Werbekampagne für das neue Produkt vorbereitet. 2. *Mit einem Fax* teilte uns der Vertreter gestern / teilte uns gestern der Vertreter seine Ankunft in New York mit. 3. *Heute* machte die Geschäftsleitung die Verkäufer mit den neuen Bestimmungen bekannt. 4. *Die neuen Geräte* können wir Ihnen wahrscheinlich erst am kommenden Montag ausliefern. 5. *Heute Morgen* hat der Großkunde den Liefervertrag zum Jahresende gekündigt. 6. *Per Lkw* hat unser Betrieb drei Maschinen nach Österreich geliefert. 7. *Wegen des Schneefalls* sind die Maschinen erst am Freitagmorgen in Wien angekommen. 8. *Dem Lkw-Fahrer* hat der Kunde eine Kiste Wein als Weihnachtsgeschenk für unsere Vertreterin mitgegeben. 9. *Wegen der verspäteten Lieferung* bezahlen wir dem Kunden die Kosten für den Transport. 10. *Im Internet* bieten wir unseren Abnehmern die neuen Geräte ab Mitte März an / bieten wir unseren Abnehmern ab Mitte März die neuen Geräte an.

Übung 8:   1. Er kam gegen 9 Uhr aufgeregt ins Büro. 2. Man hat uns bis jetzt noch nicht auf unser Schreiben geantwortet. / Man hat uns auf unser Schreiben bis jetzt noch nicht geantwortet. 3. Er teilte mir erst gestern das Ergebnis der Besprechung mit. / Er teilte mir das Ergebnis der Besprechung erst gestern mit. 4. Sie steigt wegen ihrer Verletzung ganz langsam und vorsichtig in die Straßenbahn ein. 5. Der Bus hält ab heute wegen der Umleitung nicht an dieser Haltestelle. / Der Bus hält wegen der Umleitung ab heute nicht an dieser Haltestelle. 6. Er hat ihr den Brief heimlich in den Briefkasten geworfen. / Er hat ihr heimlich den Brief in den Briefkasten geworfen. 7. Sie hat gestern dummerweise ihre Tasche im Zug vergessen. / Sie hat ihre Tasche gestern dummerweise im Zug vergessen. / Sie hat dummerweise gestern ihre Tasche im Zug vergessen. 8. Er hat es sich immer genau so vorgestellt. 9. Er gab nach der Prüfung dem Professor versehentlich das falsche Buch zurück. / Er gab dem Professor nach der Prüfung versehentlich das falsche Buch zurück. 10. Sie hat heute Morgen die Wohnung wegen eines wichtigen Termins eilig verlassen. / Sie hat die Wohnung heute Morgen wegen eines wichtigen Termins eilig verlassen. / Sie hat wegen eines wichtigen Termins die Wohnung heute Morgen eilig verlassen.

Übung 9:   1. Der Tanzschüler hat seiner Partnerin beim Walzer aus Versehen auf den Fuß getreten. / Der Tanzschüler hat aus Versehen seiner Partnerin beim Walzer auf den Fuß getreten. / Der Tanzschüler hat beim Walzer aus Versehen seiner Partnerin auf den Fuß getreten. 2. Der Gast überreichte der Dame des Hauses zu ihrem 75. Geburtstag mit freundlichen Worten an der Wohnungstür einen Blumenstrauß. / Der Gast überreichte der Dame des Hauses zu ihrem 75. Geburtstag mit freundlichen Worten einen Blumenstrauß an der Wohnungstür. / Der Gast überreichte mit freundlichen Worten der Dame des Hauses zu ihrem 75. Geburtstag einen Blumenstrauß an der Wohnungstür. / Der Gast überreichte mit freundlichen Worten der Dame des Hauses zu ihrem 75. Geburtstag an der Wohnungstür einen Blumenstrauß. 3. Die junge Frau gab ihrem Mann zum Abschied an der Tür einen Kuss. / Die junge Frau gab zum Abschied ihrem Mann an der Tür einen Kuss. / Die junge Frau gab an der Tür ihrem Mann zum Abschied einen Kuss. 4. Der Arzt legte dem Patienten vor der Untersuchung prüfend die Hand auf die Stirn. / Der Arzt legte vor der Untersuchung dem Patienten prüfend die Hand auf die Stirn. 5. Die Versammelten verurteilten Anfang Februar einstimmig den Einmarsch fremder Truppen in ein unabhängiges Land. / Die Versammelten verurteilten einstimmig Anfang Februar den Einmarsch fremder Truppen in ein unabhängiges Land. 6. Wir kamen wegen einer Umleitung mit drei Stunden Verspätung hungrig und nervös in Frankfurt an. 7. Der Motorradfahrer riss gestern gegen 17 Uhr einer alten Dame die Einkaufstasche aus der Hand. / Der Motorradfahrer riss gestern einer alten Dame gegen 17 Uhr die Einkaufstasche aus der Hand. / Der Motorradfahrer riss einer alten Dame gestern gegen 17 Uhr die Einkaufstasche aus der Hand. 8. Der Vater zog um 11 Uhr seinem schlafenden Sohn wütend die Bettdecke weg. / Der Vater zog seinem schlafenden Sohn um 11 Uhr wütend die Bettdecke weg. / Der Vater zog wütend um 11 Uhr seinem schlafenden Sohn die Bettdecke weg. 9. Du hast mir diese Geschichte schon gestern in der Mensa zum zweiten Mal erzählt. / Du hast mir schon gestern in der Mensa diese Geschichte zum zweiten Mal erzählt. / Du hast mir diese Geschichte zum zweiten Mal schon gestern in der Mensa erzählt. 10. Ich habe mich ihm auf der Party selbstverständlich vorgestellt. / Ich habe mich ihm selbstverständlich auf der Party vorgestellt.

Übung 10:   1. *Aufgeregt* kam er gegen 9 Uhr ins Büro. 2. *Auf unser Schreiben* hat man uns bis jetzt noch nicht geantwortet. 3. *Das Ergebnis der Besprechung* teilte er mir erst gestern mit. 4. *Wegen ihrer Verletzung* steigt sie ganz langsam und vorsichtig in die Straßenbahn ein.

5. *Wegen der Umleitung* hält der Bus ab heute nicht an dieser Haltestelle. / *Wegen der Umleitung* hält ab heute der Bus nicht an dieser Haltestelle. 6. *Heimlich* hat er ihr den Brief in den Briefkasten geworfen. 7. *Dummerweise* hat sie gestern ihre Tasche im Zug vergessen. / *Dummerweise* hat sie ihre Tasche gestern im Zug vergessen. 8. *Genau so* hat er es sich immer vorgestellt. 9. *Nach der Prüfung* gab er dem Professor versehentlich das falsche Buch zurück. / *Nach der Prüfung* gab er versehentlich dem Professor das falsche Buch zurück. 10. *Wegen eines wichtigen Termins* hat sie heute Morgen eilig die Wohnung verlassen. / *Wegen eines wichtigen Termins* hat sie die Wohnung heute Morgen eilig verlassen. / *Wegen eines wichtigen Termins* hat sie heute Morgen die Wohnung eilig verlassen.

§ 23

Übung 1:   Unglaubliche Geschichten aus der Boulevardzeitung
a) Dackel frisst Haschisch
1. Eine ältere Dame ging mit ihrem Dackel durch einen Frankfurter Park, ließ ihren Hund von der Leine und beobachtete ihn, wie er auf der Wiese herumsprang. 2. Der Hund hatte die Nase immer dicht am Boden, schnüffelte, suchte anscheinend etwas und begann plötzlich zu graben. 3. Auf einmal hatte der Dackel ein weißes Päckchen zwischen den Zähnen, spielte damit und biss darauf herum. 4. Da kam ein Mann angelaufen, jagte den Hund, packte und schüttelte ihn und riss ihm das Päckchen aus dem Maul. 5. Die Besitzerin des Dackels lief sofort aufgeregt auf die Wiese und mehrere Spaziergänger folgten ihr. 6. Der Mann ließ den Dackel los und lief mit dem Päckchen weg. 7. Die Dame nahm den Hund auf den Arm, tröstete und beruhigte ihn und brachte ihn nach Hause. 8. Dort benahm sich der Dackel wie ein Betrunkener, lief von einer Ecke des Zimmers zur anderen und schlief plötzlich mitten im Zimmer auf dem Teppich ein. 9. Die Dame war beunruhigt, sie telefonierte nach einem Taxi und fuhr mit dem Hund zum Tierarzt. 10. Der Tierarzt untersuchte das kranke Tier, stellte einen Haschischrausch fest und gab der Dame den Rat, das Tier ausschlafen zu lassen.

b) Frau jagt Haus in die Luft
1. Eine Frau wollte ihre Kleidung in der Waschmaschine reinigen und zerstörte dabei ihr Haus. 2. Sie war sehr sparsam und wollte das Geld für die Reinigung sparen. 3. Sie schüttete reichlich Benzin in die Waschmaschine und stellte den Schalter auf 60 Grad. 4. Schließlich schaltete sie die Maschine an und ging dann aus dem Zimmer. 5. Plötzlich gab es eine starke Explosion und ein Teil des Hauses wurde zerstört und brannte. 6. Die Feuerwehr wurde gerufen und die Löscharbeiten begannen. 7. Die Frau war gerade in den Keller gegangen und wurde dort von der Explosion überrascht. 8. Sie erlitt einen schweren Schock und musste deshalb sofort ins Krankenhaus gebracht werden.

c) Hund erschießt Hund
1. Die Jäger hatten ihre Jagd beendet und saßen nun am Waldrand um ein Lagerfeuer. 2. Es war sehr kalt und die Jäger waren halb erfroren. 3. Jetzt freuten sie sich über die Wärme und legten immer wieder Holz auf das Feuer. 4. Sie erzählten sich lustige Geschichten und niemand achtete auf die Hunde. 5. Die Gewehre hatten sie an einen Baum gestellt und die Hunde waren angebunden. 6. Aber plötzlich wurden die Tiere unruhig und ein Gewehr fiel um. 7. Dabei löste sich ein Schuss und traf einen der Hunde tödlich. 8. Die Jäger standen um den toten Hund herum und waren sehr erschrocken. 9. Nachdenklich packten sie zusammen und fuhren nach Hause.

Übung 2:   Vor dem abendlichen Gang in die Eckkneipe
1. Aber er hat doch wieder so viel Geld ausgegeben. / Er hat aber doch wieder so viel Geld ausgegeben. 2. Aber er hat doch wieder so viele Hamburger gegessen. / Er hat aber doch wieder so viele Hamburger gegessen. 3. Aber er hat doch wieder so viel getrunken. / Er hat aber doch wieder so viel getrunken. 4. Aber er hat doch wieder so laute Reden gehalten. / Er hat aber doch wieder so laute Reden gehalten. 5. Aber er hat doch wieder mit der Wirtin gestritten. / Er hat aber doch wieder mit der Wirtin gestritten. 6. Aber er hat doch wieder die anderen Gäste gestört. / Er hat aber doch wieder die anderen Gäste gestört. 7. Aber er hat doch wieder alles beim Kartenspiel verloren. / Er hat aber doch wieder alles beim Kartenspiel verloren. 8. Aber er ist doch wieder so spät nach Hause gekommen. / Er ist aber doch wieder so spät nach Hause gekommen.

Übung 3: 1. Der Porzellanteller ist ein Teller aus Porzellan, der Suppenteller aber ist / ist aber ein Teller für die Suppe. 2. Der Pappkarton ist ein Karton aus Pappe, der Schuhkarton aber ist / ist aber ein Karton für Schuhe. 3. Die Ledertasche ist eine Tasche aus Leder, die Schultasche aber ist / ist aber eine Tasche für die Schule. 4. Der Wollschal ist ein Schal aus Wolle, der Herrenschal aber ist / ist aber ein Schal für Herren. 5. Das Baumwollhemd ist ein Hemd aus Baumwolle, das Sporthemd aber ist / ist aber ein Hemd für den Sport. 6. Holzschuhe sind Schuhe aus Holz, Wanderschuhe aber sind / sind aber Schuhe zum Wandern. 7. Der Plastikbeutel ist ein Beutel aus Plastik, der Einkaufsbeutel aber ist / ist aber ein Beutel zum Einkaufen. 8. Die Glasflasche ist eine Flasche aus Glas, die Weinflasche aber ist / ist aber eine Flasche für Wein. 9. Die Keramikschüssel ist eine Schüssel aus Keramik, die Salatschüssel aber ist / ist aber eine Schüssel für Salat. 10. Das Silberbesteck ist ein Besteck aus Silber, das Kinderbesteck aber ist / ist aber ein Besteck für Kinder.

Übung 4: Erdbeeren vom Feld!
1. Sie bekommen bei uns nur die frischesten Erdbeeren, denn Sie pflücken sie selbst!
2. Sie kaufen nur erstklassige Beeren, denn was Ihnen nicht gefällt, pflücken Sie nicht!
3. Wir sind preisgünstig, denn wir zahlen keine Ladenmiete!
4. Besuchen Sie uns bald, denn die Erdbeersaison ist fast schon zu Ende!
5. Pflücken Sie unsere reifen Erdbeeren, aber Sie sollten nicht zu lange warten!
6. Bringen Sie auch Ihre Kleinen mit, denn sie dürfen so viele Erdbeeren essen, wie sie wollen!
7. Sie sparen nicht nur Geld, sondern Sie bewegen sich auch in frischer Luft!
8. Kommen Sie nicht allein, sondern bringen Sie auch Bekannte und Freunde mit!
9. Frische Erdbeeren sind immer ein Genuss, aber es gibt sie leider nur wenige Wochen im Jahr!
10. Ernten Sie selbst Ihre Erdbeeren, denn das ist gesund und macht schlank!

Übung 5: Urlaubssorgen
1 Meine Nachbarin möchte im Urlaub in den Süden fahren, denn sie liebt die Sonne und das Meer. 2. Meine Eltern möchten auch gern in Urlaub fahren, aber sie müssen dieses Jahr zu Hause bleiben, denn mein kleiner Bruder ist krank. 3. Ich fahre dieses Jahr nicht wieder nach Irland, sondern bleibe zu Hause, denn ich muss sparen. 4. Mein Kollege mag keine weiten Reisen, sondern er fährt lieber mit dem Rad am Rhein entlang. 5. Meine Freundin macht im Frühjahr keine Urlaubsreise, denn sie will im Sommer ihre Schwester in Kanada besuchen. 6. Wir wollten eigentlich unseren Urlaub in Italien verbringen, aber nun fahren wir mit unseren Kindern an die Nordsee, denn für sie ist das Klima dort besser. 7. Mein Kollege will ins Hochgebirge, denn er klettert gern, aber seine Frau ist davon nicht begeistert. 8. Mein Zahnarzt plante eine Reise nach Kapstadt, aber wegen seiner Zahnschmerzen musste er zu Hause bleiben.

Übung 6: Im Krankenhaus
1. Wollen Sie ins Bad gehen oder wollen Sie weiterschlafen? 2. Wollen Sie eine Schmerztablette nehmen oder soll ich Ihnen eine Spritze geben? 3. Wollen Sie Diätkost essen oder soll ich Ihnen normales Essen bringen? 4. Wollen Sie mit der Oberschwester sprechen oder soll ich den Arzt rufen? 5. Wollen Sie sich wieder hinlegen oder wollen Sie im Aufenthaltsraum fernsehen? 6. Wollen Sie noch eine Decke haben oder soll ich die Heizung höherstellen?

§ 24

Übung 1: Freizeitbeschäftigungen
1. Die Ärztin hat viel zu tun, darum / deshalb / deswegen / daher hat sie nur selten Zeit für ihre Hobbys. 2. Der Ingenieur geht nicht gern ins Theater, dennoch / trotzdem tut er es seiner Frau zuliebe. 3. Die Studentin liebt Musik, darum / deshalb / deswegen / daher geht sie gern in die Oper. 4. Sie hat nicht viel Geld, darum / deshalb / deswegen / daher kauft sie die billigsten Tickets für ihre Flugreisen. 5. Die Familie macht gerne lange Reisen, dennoch / trotzdem hat sie sich jetzt ein Haus mit Garten gekauft. 6. Der alte Herr mag nicht mehr zelten, darum / deshalb / deswegen / daher verbringt er jetzt seinen Urlaub im Hotel. 7. Die Eltern haben es ihnen verboten, dennoch / trotzdem spielen die Kinder am Fluss.

8. Die Schriftstellerin schreibt gerne Reisetagebücher, darum / deshalb / deswegen / daher hat sie sich jetzt ein kleines Notebook gekauft. 9. Der Auszubildende hört bei seiner Arbeit oft Musik, allerdings / trotzdem / dennoch ist ihm niemand böse. 10. Er möchte kein Geld ausgeben, darum / deshalb / deswegen / daher lädt er sich die Musik verbotenerweise aus dem Internet auf den PC. 11. Der Junge ist sehr sportlich, darum / deshalb / deswegen / daher ist er Mitglied in einem Verein für Leichtathletik. 12. Der Rentner kann oft nachts schlecht schlafen, darum / deshalb / deswegen / daher liest er dann viel oder sieht sich Filme an. 13. Der Schüler ist fast den ganzen Nachmittag auf dem Fußballplatz, dennoch / trotzdem sind seine Leistungen in der Schule sehr gut.

Übung 2:   Sport treiben
1. Sie geht jeden Morgen joggen, a) allerdings fällt es ihr manchmal schwer. b) darum / deshalb / deswegen / daher ist sie körperlich fit.
2. Die Handballmannschaft hat die Meisterschaft gewonnen, a) darum / deshalb / deswegen / daher feiert sie die ganze Nacht. b) dennoch / trotzdem analysiert sie kritisch ihre Fehler.
3. Die Wanderer sind müde vom Laufen, a) trotzdem / dennoch wollen sie die restliche Strecke noch schaffen. b) darum / deshalb / deswegen / daher machen sie jetzt eine Pause.
4. Er kann nicht schwimmen, a) trotzdem / dennoch geht er gern segeln. b) darum / deshalb / deswegen / daher hat er immer Angst auf dem Wasser.
5. Sie schwimmt gern, a) allerdings hat sie selten Zeit dafür. b) darum / deshalb / deswegen / daher verbringt sie jede freie Minute im Schwimmbad.
6. Er hat eine Verletzung am Knie, a) darum / deshalb / deswegen / daher hat ihm der Arzt das Tennisspielen verboten. b) trotzdem / dennoch spielt er weiter.
7. Sie hat für den Marathonlauf hart trainiert, a) trotzdem / dennoch kam sie mit den letzten Läufern ins Ziel. b) darum / deshalb / deswegen / daher hat sie die ganze Strecke durchgehalten.
8. Die Fußballmannschaft hatte am Sonntag einen leichten Gegner, a) darum / deshalb / deswegen / daher hat sie 5:1 gewonnen. b) trotzdem / dennoch hat sie 2:3 verloren.
9. Das Eis auf dem See ist noch sehr dünn, a) trotzdem / dennoch läuft der Junge darauf Schlittschuh. b) darum / deshalb / deswegen / daher ist das Betreten der Eisfläche gefährlich.
10. Die Radfahrer sind nach 100 km schon ganz erschöpft, a) trotzdem / dennoch müssen sie noch 20 km bis zum Hotel fahren. b) darum / deshalb / deswegen / daher wollen sie die Rückfahrt mit dem Zug machen.

Übung 3:   Beim Essen
1. Nach der Arbeit waren wir zu müde zum Kochen, <u>also</u> entschlossen wir uns, essen zu gehen. 2. Das Restaurant war bis zum letzten Platz besetzt, <u>infolgedessen</u> hatte das Personal sehr viel zu tun. 3. Wir hatten keinen Tisch reservieren lassen, <u>trotzdem</u> bekamen wir noch einen schönen Platz. 4. Auf der Tageskarte stand „Besonders zu empfehlen: Wildschweinbraten mit Rotkohl und Klößen", <u>deshalb</u> haben sehr viele Gäste dieses Gericht bestellt. 5. Als wir bestellen wollten, war das Tagesgericht schon ausverkauft, <u>also</u> haben wir verschiedene Steaks und Salate gewählt. 6. Die Steaks waren vorzüglich, <u>insofern</u> waren wir sehr zufrieden. 7. Wir waren von acht bis elf Uhr in dem Restaurant, <u>demnach</u> müssen wir fast drei Stunden gegessen haben. 8. Die Kellner in dem Restaurant waren besonders freundlich, <u>infolgedessen</u> bekamen sie sehr viel Trinkgeld.

Übung 4:   1. Zwar ist Genf 600 Kilometer von Frankfurt entfernt, aber wir schaffen die Strecke doch in fünf bis sechs Stunden. / Genf ist zwar 600 Kilometer von Frankfurt entfernt, wir schaffen die Strecke aber doch in fünf bis sechs Stunden.
2. Zwar habe ich dir das Navigationsgerät gestern schon erklärt, aber ich erkläre es dir doch noch einmal. / Ich habe dir zwar das Navigationsgerät gestern schon erklärt, ich erkläre es dir aber doch noch einmal.
3. Zwar dachten wir, wir kommen gegen sechs Uhr an, aber wegen eines Staus schafften wir es nicht. / Wir dachten zwar, wir kommen gegen sechs Uhr an, wegen eines Staus schafften wir es aber nicht.
4. Zwar habe ich eine Bahncard, aber die Bahnfahrt ist doch teuer. / Ich habe zwar eine Bahncard, die Bahnfahrt ist aber doch teuer.
5. Zwar habe ich eine Sitzplatzreservierung, aber mein Platz ist doch besetzt. / Ich habe zwar eine Sitzplatzreservierung, mein Platz ist aber doch besetzt.
6. Zwar haben die Züge oft Verspätung, aber ich fahre doch gern mit dem Zug. / Die Züge haben zwar oft Verspätung, ich fahre aber doch gern mit dem Zug.

7. Zwar fährt man mit dem Auto billiger als mit dem Zug, aber man kann sich im Zug doch viel entspannter beschäftigen. / Man fährt mit dem Auto zwar billiger als mit dem Zug, man kann sich im Zug aber doch viel entspannter beschäftigen.
8. Zwar gibt es in der Stadt Busse, aber ich fahre doch lieber mit der Straßenbahn. / In der Stadt gibt es zwar Busse, ich fahre aber doch lieber mit der Straßenbahn.
9. Zwar habe ich ein Auto, aber ich fahre doch gerne mit dem Bus und mit der Bahn. / Ich habe zwar ein Auto, ich fahre aber doch gerne mit dem Bus und mit der Bahn.
10. Zwar sind Radwege für Fahrradfahrer angelegt worden, aber man muss Fußgängern doch oft ausweichen. / Radwege sind zwar für Fahrradfahrer angelegt worden, man muss Fußgängern aber doch oft ausweichen.

Übung 5:   1. Zunächst gab es eine Wirtschaftskrise, <u>daraufhin</u> stieg die Arbeitslosigkeit, <u>dann</u> verlor die Regierungspartei die nächste Wahl. 2. Ich beende erst mein Studium, <u>dann</u> mache ich eine Weltreise. 3. Wir waren gerade beim Essen, <u>da</u> klingelte das Telefon. 4. Die Vorstellung war zu Ende, <u>da</u> schrie plötzlich jemand „Feuer!" 5. Er wollte bezahlen, <u>da</u> merkte er, dass er sein Geld vergessen hatte. 6. Alles war still, <u>da</u> fiel plötzlich ein Schuss. 7. Erst waren alle ganz erschrocken, <u>dann</u> redeten sie aufgeregt durcheinander. 8. Der Verteidiger nannte den Staatsanwalt einen Lügner, <u>daraufhin</u> unterbrach der Richter die Verhandlung. 9. „Bitte kommen Sie zur Vernunft, <u>dann</u> kann der Prozess fortgesetzt werden."

Übung 6:   Einbrecher im Kaufhaus
Es war nachts gegen halb vier. Der Wächter im Kaufhaus war beinahe eingeschlafen, <u>da</u> hörte er ein verdächtiges Geräusch. Er lauschte einige Zeit, <u>dann</u> schlich er sich vorsichtig in die Lebensmittelabteilung hinunter. Die Nachtbeleuchtung war merkwürdigerweise ausgeschaltet, <u>darum</u> knipste er seine Taschenlampe an und bemerkte sofort, dass die Bürotür nicht geschlossen, sondern nur angelehnt war. Er wusste genau, dass er selbst die Tür vorher verschlossen hatte, <u>also</u> musste ein Fremder in das Haus eingedrungen sein. Der Wächter zog seinen Revolver und atmete einmal tief durch, <u>dann</u> riss er die Tür auf und schrie: „Hände hoch!" Die beiden Männer im Büro waren schwer bewaffnet, <u>trotzdem</u> verlor der Wächter keinen Augenblick die Ruhe. Es gelang ihm, den Alarmknopf neben dem Schreibtisch zu drücken. <u>Daraufhin</u> war in kürzester Zeit die Polizei da.

Übung 7:   Ausbildungs- und Berufsfragen
1. Entweder studiert die Abiturientin Medizin oder sie beginnt eine Berufsausbildung. 2. Entweder bekommt er jetzt die Stelle als Ingenieur in Stuttgart oder er nimmt eine Stelle in der Schweiz an. 3. Entweder bleibt mein Bruder als Assistenzarzt im Krankenhaus oder er übernimmt eine Landarztpraxis.
4. Entweder nimmt der Arbeitssuchende die angebotene Stelle an oder er bekommt kein Arbeitslosengeld mehr. 5. Entweder besteht mein Freund jetzt das Abitur oder er steht ohne Abschluss da. 6. Entweder wird der Facharbeiter besser bezahlt oder er bewirbt sich bei einer anderen Firma. 7. Entweder bekomme ich ab Januar eine Gehaltserhöhung oder ich kündige meine Stelle. 8. Entweder erreiche ich einen Notendurchschnitt von 1,7 oder ich bekomme keinen Studienplatz für Tiermedizin.

Übung 8:   Jedes Ding hat seine zwei Seiten ...
1. Einerseits will die Studentin in den Semesterferien verreisen, andererseits muss sie ihre Diplomarbeit beenden. / Die Studentin will einerseits in den Semesterferien verreisen, sie muss andererseits ihre Diplomarbeit beenden.
2. Einerseits will sie Karriere machen und viel Geld verdienen, andererseits will sie heiraten und viele Kinder bekommen. / Sie will einerseits Karriere machen und viel Geld verdienen, sie will andererseits heiraten und viele Kinder bekommen.
3. Einerseits will sie zu Hause bleiben und lernen, andererseits will sie ausgehen und sich amüsieren. / Sie will einerseits zu Hause bleiben und lernen, sie will andererseits ausgehen und sich amüsieren.
4. Einerseits will sie gute Noten im Studium haben, andererseits hasst sie es, zu Hause zu sitzen und zu lernen. / Sie will einerseits gute Noten im Studium haben, sie hasst es andererseits, zu Hause zu sitzen und zu lernen.
5. Einerseits will sie ein Semester ins Ausland gehen, andererseits will sie ihre Freunde zu Hause nicht verlieren. / Sie will einerseits ein Semester ins Ausland gehen, sie will andererseits ihre Freunde zu Hause nicht verlieren.

6. Einerseits will sie ihre Fachbücher studieren, andererseits schaltet sie immer wieder den Fernseher ein. / Sie will einerseits ihre Fachbücher studieren, sie schaltet andererseits immer wieder den Fernseher ein.

7. Einerseits will sie eine gut bezahlte Stellung annehmen, andererseits will sie ihre Freiheit behalten. / Sie will einerseits eine gut bezahlte Stellung annehmen, sie will andererseits ihre Freiheit behalten.

8. Einerseits will sie gerne jeden Morgen joggen, andererseits schläft sie am liebsten lange. / Sie will einerseits gerne jeden Morgen joggen, sie schläft andererseits am liebsten lange.

9. Einerseits will sie Geld für später sparen, andererseits gibt sie in ihrer Freizeit viel Geld aus. / Sie will einerseits Geld für später sparen, sie gibt andererseits in ihrer Freizeit viel Geld aus.

Übung 9: Im Elektronik-Fachmarkt

1. Ich will nicht nur eine Lampe kaufen, sondern ich brauche auch stromsparende Glühbirnen dazu. 2. Der MP3-Player ist nicht nur viel zu teuer, sondern er hat auch einen schlechten Klang. 3. Die externe Festplatte ist nicht nur sehr leise, sondern sie hat auch eine sehr große Kapazität. 4. Wir bieten die Kaffeemaschine nicht nur sehr preisgünstig an, sondern Sie bekommen auch 1 kg Kaffee gratis. 5. Dieser Flachbildschirm hat nicht nur eine hohe Auflösung, sondern er verbraucht auch wenig Energie. 6. Wir bieten Ihnen nicht nur ein schnelles Notebook an, sondern wir installieren Ihnen auf Wunsch auch zusätzliche Software. 7. Diese Software ist nicht nur leicht zu installieren, sondern sie ist auch sehr zuverlässig. 8. Wir reparieren Ihnen das Notebook nicht nur kostenlos, sondern wir bieten Ihnen auch eine Garantieverlängerung. 9. Wir verkaufen Ihnen nicht nur einen Computer zu einem günstigen Preis, sondern wir liefern ihn auch frei Haus und stellen ihn auf.

Übung 10: Gesund bleiben

1. Essen Sie nicht nur viel Obst und Gemüse, sondern gehen Sie auch viel spazieren oder fahren Sie mit dem Rad. 2. Sie müssen sich einerseits natürlich viel bewegen, Sie dürfen andererseits den Sport nicht übertreiben. 3. Er sieht mit seinen 80 Jahren nicht nur sehr gut aus, sondern er ist auch kerngesund. 4. Ich ernähre mich nicht nur gesund, sondern ich habe auch das Rauchen aufgegeben. 5. Sie fühlen sich einerseits wohl, Sie sind andererseits zu dünn. 6. Entweder trinken Sie keinen Alkohol mehr oder Sie werden nie gesund. 7. Einerseits fühle ich mich müde, andererseits kann ich nicht schlafen. 8. Entweder Sie machen eine Kur zu Hause / Entweder machen Sie zu Hause eine Kur oder ich schicke Sie vier Wochen an den Bodensee. 9. Sie brauchen nicht nur viel Schlaf, sondern Sie müssen auch viel an die frische Luft. 10. Er kauft sich nicht nur eine neue Brille, sondern er besorgt sich auch Kontaktlinsen. / Er kauft sich entweder eine neue Brille oder er besorgt sich Kontaktlinsen. 11. Einerseits wollen Sie gesund werden, andererseits leben Sie sehr ungesund. 12. Sie sind nicht nur leicht erkältet, sondern Sie haben auch ein wenig Fieber.

§ 26

Übung 1: 1. Man verschloss früher die Stadttore, wenn es abends dunkel wurde. 2. Viele Deutsche schalten abends den Fernseher ein, wenn um 20 Uhr die Tagesschau beginnt. 3. Man begann in Deutschland mit dem Eisenbahnbau, als 1835 die erste Fahrt einer Dampflokomotive mit drei Wagen von Nürnberg nach Fürth gelungen war. 4. Robert Koch fand den Tuberkelbazillus, als er 39 Jahre alt war. 5. Die Spanier erfuhren, dass Kolumbus einen neuen Kontinent entdeckt hatte, als Magellan zum ersten Mal Südamerika umfahren hatte. 6. In Deutschland kommt kein Handwerker mehr, wenn man am Freitagnachmittag in der Werkstatt anruft. 7. Früher wanderten oft viele Menschen nach Amerika aus, wenn sie in Europa aus religiösen oder politischen Gründen verfolgt wurden. 8. Die Bekleidungsindustrie auf der ganzen Welt musste sich neu orientieren, als der Reißverschluss erfunden wurde.

Übung 2: Im Restaurant

1. Bevor ich mein Essen bestelle, studiere ich die Speisekarte. 2. Während ich auf das Essen warte, lese ich die Zeitung. 3. Bevor ich esse, wasche ich mir die Hände. 4. Während ich auf das Hauptgericht warte, schaue ich mir die anderen Gäste an. 5. Bevor ich bezahle, bestelle ich mir noch einen Kaffee. 6. Bevor ich meinen Kaffee trinke, werfe ich noch einen Blick in die Tageszeitung. 7. Bevor ich gehe, zahle ich.

Übung 3: 1. Während sie studiert, arbeitet sie bereits an ihrer Doktorarbeit. 2. Bevor sie mit dem Studium begann, hatte sie eine Ausbildung zur Krankenschwester gemacht. 3. Bevor sie ihr Examen macht, will sie für ein Semester in die USA gehen. 4. Während sie sich in den USA aufhält, kann sie bei ihrer Schwester wohnen. 5. Ihren Mann kannte sie schon, bevor sie studierte. 6. Bevor sie heirateten, wohnten sie in einem kleinen Apartment. 7. Bevor sie die Universität verlässt, will sie promovieren. 8. Während sie fürs Examen arbeitet, findet sie wenig Zeit für ihre Familie. 9. Bevor die Sonne aufgeht, steht sie schon auf und setzt sich an ihren Schreibtisch. 10. Während sie sich auf die Prüfung vorbereitet, muss ihr Mann für die Kinder sorgen. 11. Bevor sie in das Berufsleben eintritt, will sie ein Jahr Pause machen.

Übung 4: Sie und er
1., 3., 7., 8. = temporal
2. Er faulenzt gerne im Urlaub, dagegen sieht sie sich gerne Kirchen und Museen an oder treibt Sport. / ..., aber sie / sie aber sieht sich gerne Kirchen und Museen an oder treibt Sport. 4. Er isst gern und viel Fleisch, sie dagegen ist eine strenge Vegetarierin. / ..., aber sie / sie aber ist eine strenge Vegetarierin. 5. Er besucht im Urlaub gerne Buchläden und Bibliotheken, sie dagegen liebt das Schwimmen, Radfahren und Bergsteigen über alles. / ..., aber sie / sie aber liebt das Schwimmen, Radfahren und Bergsteigen über alles. 6. Sie surft am liebsten im Internet, er dagegen informiert sich vorwiegend durch Zeitungen und Zeitschriften. / ..., aber er / er aber informiert sich vorwiegend durch Zeitungen und Zeitschriften. 9. Er möchte die Wochenenden gern allein mit ihr zu Hause verbringen, sie dagegen trifft sich lieber mit Freunden und Bekannten. / ..., aber sie / sie aber trifft sich lieber mit Freunden und Bekannten.

Übung 5: Auf dem Kongress
1. Nachdem der Präsident die Gäste begrüßt hat, begeben sich alle in den Speiseraum. 2. Alle Teilnehmer gingen in den Konferenzraum, nachdem sie ihr Gepäck in die Hotelzimmer gebracht hatten. 3. Nachdem alle Gäste Platz genommen haben, beginnt der erste Redner mit seinem Vortrag. 4. Nachdem der Redner seinen Vortrag beendet hatte, setzte eine lebhafte Diskussion ein. 5. Nachdem man dann eine kurze Pause gemacht hatte, zeigte ein Teilnehmer einen Film. 6. Nachdem alle Gäste zu Abend gegessen hatten, saßen sie noch eine Zeit lang zusammen und unterhielten sich. 7. Nachdem man so drei Tage zugehört, gelernt und diskutiert hatte, fuhren alle Teilnehmer wieder nach Hause.

Übung 6: 1. Nachdem Edison die Glühbirne erfunden hatte, war er in ganz Amerika berühmt. 2. Nachdem Robert Koch die Ursachen von Tuberkulose erforscht hatte, bekam er den Nobelpreis. 3. Nachdem der Wissenschaftler seine Mozart-Biografie veröffentlicht hatte, galt er als Experte für die Musik des 18. Jahrhunderts. 4. Nachdem Armstrong und seine Begleiter auf dem Mond gelandet waren, waren sie Nationalhelden. 5. Nachdem Einstein aus Deutschland emigriert war, lehrte er als Professor an der Universität von Princeton. 6. Nachdem Darwin die Tierwelt auf den Galapagos-Inseln beobachtet hatte, gewann er wesentliche Erkenntnisse über die Evolution. 7. Nachdem Friedrich Schiller beerdigt worden war, kümmerte sich niemand um das Grab des großen Dichters.

Übung 7: Ein Lebenslauf
<u>Bis</u> sie vierzehn Jahre alt war, lebte sie in der Türkei. <u>Seit</u> 25 Jahren lebt sie nun schon in Deutschland. <u>Seit</u> sie in Deutschland lebt, bemüht sie sich, die Sprache perfekt zu lernen, doch <u>bis</u> sie zur Kauffrau für den Einzelhandel ausgebildet war, hatte sie manchmal noch Schwierigkeiten. <u>Seit</u> sie ihre Abschlussprüfung bestanden hatte, arbeitete sie in einem Kaufhaus, doch sie war damit nicht zufrieden. <u>Seit</u> 1985 ist sie verheiratet. <u>Bis</u> 1986 arbeitete sie in der Lebensmittelabteilung des Kaufhauses, dann machte sie eine Umschulung und bewarb sich bei verschiedenen Banken. Schließlich fand sie eine Stelle und <u>seit</u> 1988 ist sie nun bei einer Bank beschäftigt. Diese Arbeit gefällt ihr gut. <u>Bis</u> ihr erstes Kind geboren wurde, hatte sie eine Vollzeitstelle; seitdem arbeitet sie jede Woche drei Tage und auch nach der Geburt des zweiten Kindes blieb sie berufstätig. <u>Bis</u> die Kinder selbstständig sind, will sie weiter in Teilzeit arbeiten. <u>Seit</u> einigen Jahren hat die Familie sogar ein eigenes Haus in einem sehr schönen Wohngebiet.

Übung 8: 1. Seit(dem) der Buchdruck erfunden (worden) ist, sind über 500 Jahre vergangen. 2. Seit(dem) der Panamakanal eröffnet (worden) ist, brauchen Schiffe nicht mehr um Kap Horn zu fahren.

3. Seit(dem) im Jahr 1956 das erste Telefonkabel von Europa nach Nordamerika verlegt worden ist, ist der Telefonverkehr sicherer und störungsfreier geworden. 4. Bis der Tunnel gebaut wurde, ging der ganze Verkehr über den 2500 m hohen Pass. 5. Bis das erste Betäubungsmittel entdeckt wurde, mussten Patienten bei Operationen große Schmerzen aushalten. 6. Bis der Eurotunnel im Jahr 1994 vollendet wurde, konnte man England nicht mit dem Zug erreichen.

§ 27

Übung 1a): Benjamin ist froh, weil er einen Physikprofessor aus den USA kennengelernt hat. Christiano ist froh, weil er hier mal richtig tanzen kann. Danuta ist froh, weil sie Zeit mit ihren Freunden verbringen kann. Eosebio ist froh, weil er sich hier mal in seiner Muttersprache unterhalten kann. Felicia ist froh, weil sie nicht allein sein muss. Gerry ist froh, weil er hier seine Sorgen vergessen kann. Hakan ist froh, weil er so verliebt ist.

Übung 1b): Benjamin ist zu spät gekommen, weil er die Kinder in den Kindergarten bringen musste. Christiano ist zu spät gekommen, weil er im Stau stecken geblieben ist. Danuta ist zu spät gekommen, weil die Straßenbahn Verspätung hatte. Eosebio ist zu spät gekommen, weil er aus Versehen in den falschen Zug eingestiegen ist. Felicia ist zu spät gekommen, weil sie verschlafen hat. Gerry ist zu spät gekommen, weil sein Motorrad nicht angesprungen ist. Hakan ist zu spät gekommen, weil jemand sein Fahrrad aus dem Keller gestohlen hat.

Übung 1c): Benjamin konnte nicht mitspielen, weil er mit seiner Frau einkaufen gehen musste. Christiano konnte nicht mitspielen, weil er sein Zimmer streichen musste. Danuta konnte nicht mitspielen, weil sie sich um ihre Kinder kümmern musste. Eosebio konnte nicht mitspielen, weil er für eine Prüfung lernen musste. Felicia konnte nicht mitspielen, weil sie erkältet ist und zum Arzt gehen musste. Gerry konnte nicht mitspielen, weil er sein Motorrad in die Werkstatt bringen musste. Hakan konnte nicht mitspielen, weil er sich bei seiner neuen Firma vorstellen musste.

Übung 2: Ein Haus bauen
1. Müllers mussten mit dem Bauen lange warten, weil sie das notwendige Geld nicht so schnell beschaffen konnten. 2. Sie haben fünf Jahre auf alle Urlaubsreisen verzichtet, weil sie den Bau so bald wie möglich beginnen wollten. 3. Müllers haben ein Zweifamilienhaus geplant, weil sie durch Vermietung einer der beiden Wohnungen ihre Schulden schneller zurückzahlen wollen. 4. Sie haben dann aber doch ein Einfamilienhaus gebaut, weil das Bauamt auf diesem Grundstück kein größeres Haus genehmigt hat. 5. Müllers waren zunächst ziemlich verärgert, weil sie nur ein kleines Haus haben bauen dürfen. 6. Später waren sie sehr froh, weil sie das Haus und das ganze Grundstück allein nach ihren eigenen Vorstellungen haben gestalten können.

Übung 3: 1. Gehst du nicht mit, weil du nicht darum gebeten worden bist? 2. Singst du nicht mit, weil du nicht dazu aufgefordert worden bist? 3. Arbeitest du nun doch nicht bei dieser Firma, weil du nicht eingestellt worden bist? 4. Kommst du nicht zur Party, weil du nicht eingeladen worden bist? 5. Verklagst du ihn nicht vor Gericht, weil du nicht geschädigt worden bist? 6. Gehst du nicht zu dem Vortrag, weil du nicht darüber informiert worden bist? 7. Sitzt du immer noch hier, weil du nicht abgeholt worden bist? 8. Kommst du hier herein, weil du nicht kontrolliert worden bist? 9. Hast du dich betrügen lassen, weil du nicht davor gewarnt worden bist? 10. Bist du so enttäuscht, weil du nicht gewählt worden bist?

Übung 4: 1. Da der Meeresspiegel steigt, sind viele Inseln gefährdet. 2. Da viele Inseln nur wenige Meter über dem Meeresspiegel liegen, könnten sie überschwemmt werden. 3. Da viele Inseln überschwemmt werden könnten, muss endlich etwas getan werden. 4. Da Schutzmaßnahmen für die Bevölkerung notwendig sind, sollten die Verantwortlichen handeln. 5. Da die Verantwortlichen aber nicht handeln, sind Katastrophen vorhersehbar. 6. Da man Unheil für viele Menschen befürchten muss, sollte sich die Weltgemeinschaft um die Probleme kümmern.

§ 28

Übung 1: Dienstleistungen der Post
1. Wenn die Adresse nicht stimmt, geht der Brief an den Absender zurück. / Der Brief geht an den Absender zurück, wenn die Adresse nicht stimmt. 2. Wenn Sie eine Postkarte schreiben, ist es billiger als ein Brief. / Es ist billiger als ein Brief, wenn Sie eine Postkarte schreiben. 3. Wenn Ihr Brief wichtige Dokumente enthält, schicken Sie ihn am besten per Einschreiben. / Schicken sie Ihren Brief am besten per Einschreiben, wenn er wichtige Dokumente enthält. 4. Wenn Ihr Brief kleiner oder größer ist als normal, ist er teurer. / Ihr Brief ist teurer, wenn er kleiner oder größer ist als normal. 5. Wenn Ihr Brief nach Südamerika geht, kostet er mehr Porto als innerhalb Europas. / Ihr Brief kostet mehr Porto als innerhalb Europas, wenn er nach Südamerika geht. 6. Wenn ein Päckchen nur Bücher enthält, können Sie es als Büchersendung billiger verschicken. / Sie können ein Päckchen als Büchersendung billiger verschicken, wenn es nur Bücher enthält. 7. Wenn eine Sendung mehr als 2 Kilo wiegt, müssen Sie eine Paketkarte ausfüllen. / Sie müssen eine Paketkarte ausfüllen, wenn eine Sendung mehr als 2 Kilo wiegt. 8. Wenn Sie ein Konto bei der Postbank haben, können Sie in allen Postfilialen in Deutschland gebührenfrei Geld abheben. / Sie können in allen Postfilialen in Deutschland gebührenfrei Geld abheben, wenn Sie ein Konto bei der Postbank haben.

Übung 2: Dienstleistungen der Post
1. Stimmt die Adresse nicht, (so / dann) geht der Brief an den Absender zurück. 2. Schreiben Sie eine Postkarte, (so / dann) ist es billiger als ein Brief. 3. Enthält Ihr Brief wichtige Dokumente, (so / dann) schicken Sie ihn am besten per Einschreiben. 4. Ist Ihr Brief kleiner oder größer als normal, (so / dann) ist er teurer. 5. Geht Ihr Brief nach Südamerika, (so / dann) kostet er mehr Porto als innerhalb Europas. 6. Enthält ein Päckchen nur Bücher, (so / dann) können Sie es als Büchersendung billiger verschicken. 7. Wiegt eine Sendung mehr als 2 Kilo, (so / dann) müssen Sie eine Paketkarte ausfüllen. 8. Haben Sie ein Konto bei der Postbank, (so / dann) können Sie in allen Postfilialen in Deutschland gebührenfrei Geld abheben.

Übung 3: Am Computer
1. Auch wenn man Waren im Internet bestellt, hat man ein Rückgaberecht. 2. Wenn man eine Datei speichert, sollte man den richtigen Ordner benutzen. 3. Wenn man im Büro im Internet surft, sollte man die Genehmigung seines Chefs haben. 4. Wenn eine Störung auftritt, kann man eine Hotline anrufen. 5. Wenn man eine Hotline anruft, ist man oft sehr lange in der Warteschleife. 6. Wenn man im Internet nach Informationen sucht, benutzt man Suchmaschinen. 7. Wenn man unterwegs arbeitet, ist ein Notebook nützlich. 8. Wenn man digitale Fotos am Computer anschaut, kann man die Funktion „Diashow" benutzen. 9. Wenn man Musik aus dem Internet herunterlädt, sollte man das Urheberrecht beachten. 10. Wenn man Software kauft, muss man immer prüfen, ob sie für den eigenen Computer auch geeignet ist. 11. Wenn man sein Passwort eingibt, muss man darauf achten, dass es niemand sieht.

Übung 4: Warenverkehr
1. Angenommen, dass Sie heute bestellen, so können wir Ihnen die Geräte bis Freitag liefern. / Angenommen, Sie bestellen heute, so können wir Ihnen die Geräte bis Freitag liefern. 2. Vorausgesetzt, dass Sie uns den Auftrag geben, beginnen wir sofort mit der Produktion. / Vorausgesetzt, Sie geben uns den Auftrag, beginnen wir sofort mit der Produktion. 3. Wir beginnen sofort mit der Produktion, vorausgesetzt, dass die Materialien auf Lager sind. / Wir beginnen sofort mit der Produktion, vorausgesetzt, die Materialien sind auf Lager. 4. Das Angebot liegt bei 19 Euro pro Stück, gesetzt den Fall, dass der Stahlpreis um nicht mehr als 5 % steigt. / Das Angebot liegt bei 19 Euro pro Stück, gesetzt den Fall, der Stahlpreis steigt um nicht mehr als 5 %. 5. Vorausgesetzt, dass Sie mindestens 1000 Stück bestellen, bezahlen wir die Transportkosten. / Vorausgesetzt, Sie bestellen mindestens 1000 Stück, bezahlen wir die Transportkosten. 6. Gesetzt den Fall, dass der Kunde eine falsche Ware bekommen hat, so hat er Anspruch auf eine Ersatzlieferung. / Gesetzt den Fall, der Kunde hat eine falsche Ware bekommen, so hat er Anspruch auf eine Ersatzlieferung. 7. Angenommen, dass der Käufer ein mangelhaftes Produkt erhalten hat, so hat er das Recht auf Umtausch. / Angenommen, der Käufer hat ein mangelhaftes Produkt erhalten, so hat er das Recht auf Umtausch.

8. Vorausgesetzt, dass die Lkw-Fahrer nicht streiken, so bekommen Sie die Lieferung morgen früh. / Vorausgesetzt, die Lkw-Fahrer streiken nicht, so bekommen Sie die Lieferung morgen früh. 9. Gesetzt den Fall, dass wir den Auftrag bekommen, dann müssen wir in den nächsten Wochen Überstunden machen. / Gesetzt den Fall, wir bekommen den Auftrag, dann müssen wir in den nächsten Wochen Überstunden machen.

§ 29

Übung 1: Ein Erdbeben
1. Die Erde bebte plötzlich so stark, dass die Menschen zu Tode erschraken und aus ihren Häusern rannten. 2. Es gab immer wieder Erdstöße, sodass die Menschen nicht in ihre Häuser zurückkehren wollten. 3. Viele Häuser wurden durch das Erdbeben zerstört, sodass zahlreiche Familien bei Freunden und Verwandten unterkommen mussten. 4. Die Zerstörungen waren so groß, dass die Regierung andere Nationen um Hilfe bat. 5. Hilfsorganisationen brachten Zelte und Decken, sodass die Menschen notdürftig untergebracht werden konnten. 6. In Tankwagen wurde Trinkwasser bereitgestellt, sodass die Unglücklichen mit sauberem Wasser versorgt werden konnten. 7. Fernsehzuschauer in aller Welt waren von den Bildern so erschüttert, dass sie mit Spenden, Kleidung und Decken halfen.

Übung 2: Im Zirkus I
1. Der Clown machte so komische Bewegungen, dass wir alle lachen mussten. 2. Eine Seiltänzerin wagte einen so gefährlichen Sprung, dass die Zuschauer den Atem anhielten. 3. Der Jongleur zeigte so schwierige Kunststücke, dass die Zuschauer begeistert Beifall klatschten. 4. Ein Löwe brüllte so bedrohlich, dass einige Kinder zu weinen anfingen. 5. Ein Zauberkünstler zog so viele Blumen aus seinem Mantel, dass die Manege wie eine Blumenwiese aussah. 6. Die Musikkapelle spielte so laut, dass einige Leute sich die Ohren zuhielten. 7. Es waren so viele Scheinwerfer installiert, dass die Manege taghell beleuchtet war. 8. Dressierte Hunde spielten so geschickt Fußball, dass die Zuschauer ganz erstaunt waren.

Übung 3: Bücher
1. Der Krimi war so spannend, dass ich ihn an einem Nachmittag durchgelesen habe. 2. In dem Kochbuch waren so ungewöhnliche Rezepte, dass viele Leute neugierig wurden und es kauften. 3. Die Hörbuch-CD läuft sehr lange, sodass ich sie nie zu Ende hörte. 4. Der Klassiker war so langweilig, dass er nur noch selten gekauft wurde. 5. Das neue Buch der Erfolgsautorin war so lange erwartet worden, dass die jungen Leute bei seinem Erscheinen stundenlang Schlange standen. 6. Die gebundene Ausgabe war so teuer, dass fast alle das Taschenbuch kauften. 7. Die Kritiker waren von dem neuen Roman des Bestsellerautors so begeistert, dass er innerhalb kurzer Zeit 100 000-mal verkauft wurde. 8. Die Schrift im Telefonbuch ist so klein, dass man sie mit der Lupe lesen muss. 9. Das Gedichtbändchen war so dünn, dass man es in einer Stunde lesen konnte. 10. Das Lehrbuch ist immer noch so aktuell, dass es die meisten Studenten kaufen. 11. Das Sachbuch wurde in der Presse so oft besprochen, dass es auf den Bestsellerlisten ganz oben steht. 12. Schulbücher sind so teuer, dass viele Eltern Schwierigkeiten haben, sie für ihre Kinder anzuschaffen.

Übung 4: 1. Der Tisch war so breit, dass man die Gegenübersitzenden kaum erkennen konnte. 2. Er war so groß, dass man eine Leiter anstellen musste, wenn man seine Nasenspitze sehen wollte. 3. Er war so fett, dass man einen Schnaps brauchte, wenn man ihn gesehen hatte. 4. Sie war so hässlich, dass das Feuer im Ofen ausging, wenn sie hineinsah. 5. Es war so heiß und trocken, dass die Bäume den Hunden nachliefen. 6. Das Schiff war so riesig, dass der Koch zum Umrühren mit einem Motorboot durch den Suppenkessel fahren musste. 7. Die Gassen in Venedig sind so eng, dass die Hunde nur senkrecht mit dem Schwanz wedeln können.

§ 30

Übung 1: **a)** Er ist nicht gekommen, obwohl / obgleich / obschon 1. ich ihn eingeladen hatte. 2. er fest zugesagt hatte. 3. er kommen wollte. 4. er Hilfe braucht und ich ihm helfen kann. 5. er uns schon lange besuchen wollte. 6. er wusste, dass ich auf ihn warte.

b) Sie kam zu spät, obwohl / obgleich / obschon 1. sie ein Taxi genommen hatte. 2. sie drei Wecker gestellt hatte. 3. sie sich von ihrer Freundin hatte übers Handy wecken lassen. 4. die Straße frei war und es keinen Stau gab. 5. sie pünktlich kommen wollte. 6. sie einen wichtigen Termin hatte. 7. sie mir versprochen hatte, rechtzeitig zu kommen.

c) Das Hallenbad wurde nicht renoviert, obwohl / obgleich / obschon 1. die Renovierung dringend notwendig war. 2. es nicht mehr genutzt werden konnte. 3. die Renovierung für dieses Jahr geplant war. 4. die Finanzierung gesichert war. 5. die Aufträge bereits vergeben worden waren. 6. die Einwohner der Stadt die Renovierung seit Jahren gefordert hatten. 7. die Schulen das Hallenbad dringend für ihren Schwimmunterricht benötigen. 8. auch die Nachbargemeinden daran interessiert sind. 9. man es hätte schon längst modernisieren sollen.

Übung 2: **a)** 1. Ich hatte ihn eingeladen, (aber) dennoch / trotzdem ist er nicht gekommen. 2. Er hatte zwar fest zugesagt, er ist aber doch nicht gekommen. 3. Er wollte zwar kommen, aber er ist (doch) nicht gekommen. 4. Er braucht Hilfe und ich kann ihm helfen, (aber) er ist dennoch nicht gekommen. 5. Er wollte uns schon lange besuchen, aber er ist nicht gekommen. 6. Zwar wusste er, dass ich auf ihn warte, allerdings ist er nicht gekommen.

b) 1. Sie hatte ein Taxi genommen, (aber) dennoch / trotzdem kam sie zu spät. 2. Sie hatte zwar drei Wecker gestellt, aber sie kam doch zu spät. 3. Sie hatte sich zwar von ihrer Freundin übers Handy wecken lassen, aber sie kam doch zu spät. 4. Die Straße war zwar frei und es gab keinen Stau, (aber) dennoch / trotzdem kam sie zu spät. 5. Sie wollte pünktlich kommen, aber sie kam doch zu spät. 6. Sie hatte zwar einen wichtigen Termin, allerdings kam sie zu spät. 7. Sie hatte mir zwar versprochen, rechtzeitig zu kommen, aber sie kam doch zu spät.

c) 1. Zwar war die Renovierung dringend notwendig, (aber) dennoch / trotzdem wurde das Hallenbad nicht renoviert. 2. Es konnte nicht mehr genutzt werden, dennoch / trotzdem wurde das Hallenbad nicht renoviert. 3. Die Renovierung war zwar für dieses Jahr geplant, (aber) dennoch / trotzdem wurde das Hallenbad nicht renoviert. 4. Die Finanzierung war gesichert, aber das Hallenbad wurde nicht renoviert. 5. Die Aufträge waren bereits vergeben worden, (aber) dennoch / trotzdem wurde das Hallenbad nicht renoviert. 6. Die Einwohner der Stadt hatten die Renovierung zwar seit Jahren gefordert, aber das Hallenbad wurde doch nicht renoviert. 7. Die Schulen benötigen das Hallenbad dringend, dennoch / trotzdem wurde das Hallenbad nicht renoviert. 8. Zwar sind auch die Nachbargemeinden daran interessiert, (aber) trotzdem wurde das Hallenbad nicht renoviert. 9. Man hätte es schon längst modernisieren sollen, aber das Hallenbad wurde nicht renoviert.

Übung 3: 1. Obwohl sie jeden Morgen joggen geht, fällt es ihr manchmal schwer. / Weil sie jeden Morgen joggen geht, ist sie körperlich fit. 2. Weil die Handballmannschaft die Meisterschaft gewonnen hat, feiert sie die ganze Nacht. / Obwohl die Handballmannschaft die Meisterschaft gewonnen hat, analysiert sie kritisch ihre Fehler. 3. Obwohl die Wanderer müde vom Laufen sind, wollen sie die restliche Strecke noch schaffen. / Weil die Wanderer müde vom Laufen sind, machen sie jetzt eine Pause. 4. Obwohl er nicht schwimmen kann, geht er gern segeln. / Weil er nicht schwimmen kann, hat er immer Angst auf dem Wasser. 5. Obwohl sie gern schwimmt, hat sie selten Zeit dafür. / Weil sie gern schwimmt, verbringt sie jede freie Minute im Schwimmbad. 6. Weil er eine Verletzung am Knie hat, hat der Arzt ihm das Tennisspielen verboten. / Obwohl er eine Verletzung am Knie hat, spielt er weiter. 7. Obwohl sie für den Marathonlauf hart trainiert hat, kam sie mit den letzten Läufern ins Ziel. / Weil sie für den Marathonlauf hart trainiert hat, hat sie die ganze Strecke durchgehalten. 8. Weil die Fußballmannschaft am Sonntag einen leichten Gegner hatte, hat sie 5:1 gewonnen. / Obwohl die Fußballmannschaft am Sonntag einen leichten Gegner hatte, hat sie 2:3 verloren.

9. Obwohl das Eis auf dem See noch sehr dünn ist, läuft der Junge darauf Schlittschuh. / Weil das Eis auf dem See noch sehr dünn ist, ist das Betreten der Eisfläche gefährlich. 10. Obwohl die Radfahrer nach 100 km schon ganz erschöpft sind, müssen sie noch 20 km bis zum Hotel fahren. / Weil die Radfahrer nach 100 km schon ganz erschöpft sind, wollen sie die Rückfahrt mit dem Zug machen.

Übung 4:   Umweltschutz?
1. Er kennt die Gefahren des Klimawandels, trotzdem fährt er schnelle Autos mit hohem Benzinverbrauch. / Obgleich er die Gefahren des Klimawandels kennt, fährt er schnelle Autos mit hohem Benzinverbrauch. 2. Die Politiker wollen zwar die CO_2-Emissionen reduzieren, aber sie fördern den Bau von neuen Kohlekraftwerken. / Obwohl die Politiker die CO_2-Emissionen reduzieren wollen, fördern sie den Bau von neuen Kohlekraftwerken. 3. Obgleich die Vorräte an Erdöl und Erdgas immer geringer werden, nimmt die Verschwendung zu. / Die Vorräte an Erdöl und Erdgas werden immer geringer, trotzdem nimmt die Verschwendung zu. 4. Wir wissen zwar, dass Wasser in vielen Ländern der Welt knapp ist, dennoch verschwenden wir viel Wasser. / Obwohl wir wissen, dass Wasser in vielen Ländern der Welt knapp ist, verschwenden wir viel Wasser. 5. Obgleich Flugzeuge zu den schlimmsten Luftverschmutzern gehören, planen Millionen Menschen Urlaubsflüge in ferne Länder. / Flugzeuge gehören zu den schlimmsten Luftverschmutzern, trotzdem planen Millionen Menschen Urlaubsflüge in ferne Länder. 6. Er wünscht sich Ruhe in seinem Wohnviertel, trotzdem fährt er abends mit seinem Motorrad zum nächsten Zigarettenautomaten. / Er wünscht sich Ruhe in seinem Wohnviertel, dennoch fährt er abends mit seinem Motorrad zum nächsten Zigarettenautomaten. 7. Wir beklagen das weltweite Abholzen der Urwälder, dennoch finden wir Möbel aus Teakholz besonders schick. / Obgleich wir das weltweite Abholzen der Urwälder beklagen, finden wir Möbel aus Teakholz besonders schick. 8. Obgleich er Mitglied einer Umweltorganisation ist, wirft er Papier, Plastik und Biomüll einfach zusammen in eine Tonne. / Er ist zwar Mitglied einer Umweltorganisation, aber er wirft Papier, Plastik und Biomüll einfach zusammen in eine Tonne.

Übung 5:   Chronische Müdigkeit
1. Wenn du auch noch so früh ins Bett gehst, so bist du beim Aufstehen am Morgen doch noch müde. / du bist beim Aufstehen am Morgen doch noch müde. – Gehst du auch noch so früh ins Bett, so bist du beim Aufstehen am Morgen doch noch müde. / du bist beim Aufstehen am Morgen doch noch müde.
2. Wenn du auch noch so spät aufstehst, so hast du doch noch immer nicht ausgeschlafen. / du hast doch noch immer nicht ausgeschlafen. – Stehst du auch noch so spät auf, so hast du doch noch immer nicht ausgeschlafen. / du hast doch noch immer nicht ausgeschlafen.
3. Wenn du auch noch so viel Morgengymnastik machst, so kommst du doch sehr schwer in Gang. / du kommst doch sehr schwer in Gang. – Machst du auch noch so viel Morgengymnastik, so kommst du doch sehr schwer in Gang. / du kommst doch sehr schwer in Gang.
4. Wenn du auch noch so viel Kaffee trinkst, so fühlst du dich doch nicht besser. / du fühlst dich doch nicht besser. – Trinkst du auch noch so viel Kaffee, so fühlst du dich doch nicht besser. / du fühlst dich doch nicht besser.
5. Wenn du auch noch so hübsch geschminkt bist, so siehst du doch blass und müde aus. / du siehst doch blass und müde aus. – Schminkst du dich auch noch so hübsch, so siehst du doch blass und müde aus. / du siehst doch blass und müde aus.
6. Wenn du dich auch noch so heftig wehrst, so werde ich dich doch zu einem Arzt bringen. / ich werde dich doch zu einem Arzt bringen. – Wehrst du dich auch noch so heftig, so werde ich dich doch zu einem Arzt bringen. / ich werde dich doch zu einem Arzt bringen.

§ 31

Übung 1:   Nach einem Rockkonzert
1. Ja, es gab noch mehr Karten an der Abendkasse, als ich angenommen hatte. / Nein, es gab nicht so viele Karten, wie ich gehofft hatte. 2. Ja, er war größer, als ich vermutet hatte. / Nein, er war nicht so groß, wie ich befürchtet hatte. 3. Ja, sie waren teurer, als ich geglaubt hatte. / Nein, sie waren nicht so teuer, wie ich angenommen hatte. 4. Ja, sie hat besser gespielt, als ich gedacht hatte. / Nein, sie hat nicht so gut gespielt, wie ich erwartet hatte. 5. Ja, sie war abwechslungsreicher, als ich vermutet hatte. / Nein, sie war nicht so abwechslungsreich, wie ich gehofft hatte. 6. Ja, es dauerte länger, als ich angenommen hatte. / Nein, es dauerte nicht so lange, wie ich vermutet hatte. 7. Ja, sie hat mehr Zugaben gespielt, als ich erwartet hatte. / Nein, sie hat nicht so viele Zugaben gespielt, wie ich gehofft hatte. 8. Ja, ich habe mehr Bekannte getroffen, als ich geglaubt hatte. / Nein, ich habe nicht so viele Bekannte getroffen, wie ich erwartet hatte. 9. Ja, ich bin später nach Hause gekommen, als ich angenommen hatte. / Nein, ich bin nicht so spät nach Hause gekommen, wie ich befürchtet hatte.

Übung 2:   1. Ja, sie war effektiver, als ich erwartet hatte. / Nein, sie war nicht so effektiv, wie ich gehofft hatte. 2. Ja, sie waren interessanter, als ich angenommen hatte. / Nein, sie waren nicht so interessant, wie ich erwartet hatte. 3. Ja, es wurde lebhafter diskutiert, als ich gedacht hatte. / Nein, es wurde nicht so lebhaft diskutiert, wie ich gehofft hatte. 4. Ja, ich habe mehr Kritik gehört, als ich erwartet hatte. / Nein, ich habe nicht so viel Kritik gehört, wie ich befürchtet hatte. 5. Ja, wir haben in den Pausen mehr gestritten, als ich angenommen hatte. / Nein, wir haben in den Pausen nicht so viel gestritten, wie ich erwartet hatte. 6. Ja, es war besser eingerichtet, als ich erwartet hatte. / Nein, es war nicht so gut eingerichtet, wie ich gehofft hatte. 7. Ja, sie waren ruhiger, als ich befürchtet hatte. / Nein, sie waren nicht so ruhig, wie ich gehofft hatte. 8. Ja, sie waren angenehmer, als ich vermutet hatte. / Nein, sie waren nicht so angenehm, wie ich erwartet hatte.

Übung 3:   1. Je dunkler es wird, desto schlechter kann man die Straßenschilder lesen. 2. Je konzentrierter der Pianist übte, desto sicherer wurde sein Spiel. 3. Je länger das Sauerkraut gekocht wird, desto besser schmeckt es. 4. Je mehr er trinkt, desto lauter lacht er. 5. Je später es wird, desto fröhlicher sind die Partygäste. 6. Je weniger sie verdient, desto sparsamer muss sie sein. 7. Je gründlicher der Handwerker gearbeitet hat, desto zufriedener ist der Kunde. 8. Je schneller du arbeitest, desto früher kannst du nach Hause gehen.

Übung 4:   Sprachen sprechen
1. Je geringer seine englischen Vokabelkenntnisse sind, desto schwieriger wird für ihn die Verständigung in London. 2. Je schneller die Einheimischen sprechen, desto weniger kann man als Ausländer verstehen. 3. Je deutlicher du sprichst, desto besser kann ich dich verstehen. 4. Je länger er sich in Italien aufhielt, desto weniger bemerkte man von seinem deutschen Akzent. 5. Je größer sein Wortschatz ist, desto präziser kann er sich ausdrücken. 6. Je besser der Informatiker Chinesisch spricht, desto leichter findet er heute eine Stellung.

Übung 5:   1. Je höflicher du schreibst, eine umso höflichere Antwort erhältst du. 2. Je länger du mit ihm arbeitest, ein umso besseres Verhältnis wirst du zu ihm bekommen. 3. Je schneller du fährst, einen umso größeren Sicherheitsabstand musst du einhalten. 4. Je größer der Andrang ist, eine umso längere Wartezeit muss man einplanen. 5. Je näher ich dem Ziel meiner Träume war, ein umso stärkeres Glücksgefühl erfüllte mich.

Übung 6:   1. Wie Sie wissen, will ich mich dort mit Geschäftspartnern treffen. 2. Wie ich hoffe, werden wir erfolgreich verhandeln. 3. Wie ich schon sagte, möchte ich über einige Aufträge für unsere Firma sprechen. 4. Wie Sie wissen, fahre ich von München aus dann gleich weiter in den Urlaub. 5. Wie ich geplant habe, werde ich zwei Wochen wegbleiben. 6. Wie ich hoffe, wird mir die Ruhe guttun.

Übung 7:   1. Man kann Wohnungen gut isolieren, indem man Dämmmaterial an den Außenwänden anbringt. 2. Man kann Rohstoffe sparen, indem man beim Recycling gebrauchte Materialien wieder verwendbar macht. 3. Man kann solches Recycling unterstützen, indem man Altpapier, Verpackungen, Restmüll und Bioabfälle nur in die dafür vorgesehenen Tonnen wirft.

4. Die Luftverschmutzung kann reduziert werden, indem die Regierung Rauch- und Abgasfilter gesetzlich vorschreibt. 5. Innenstädte kann man vor Verkehrslärm schützen, indem man mehr Fußgängerzonen einrichtet.

Übung 8: Im Zirkus II
1. Der Zirkus macht auf sein Gastspiel aufmerksam, indem er seine Tiere in der Fußgängerzone zeigt. 2. Die Artisten erzeugen Spannung, indem sie unerwartete und gefährliche Tricks in der Manege vorführen. 3. Hochseilartisten werden vor dem Abstürzen geschützt, indem man ein großes Netz ausspannt / indem ein großes Netz ausgespannt wird. 4. Ein Dompteur fesselt das Publikum, indem er Kunststück mit gefährlichen Raubtieren vorführt. 5. Der Zuschauerbereich wird dabei gesichert, indem man hohe Gitter um die Manege aufstellt / indem hohe Gitter um die Manege aufgestellt werden. 6. Pausen zwischen den Darbietungen werden überbrückt, indem Clowns mit grotesken Späßen auftreten. 7. Ein Finale beendet die Vorstellung, indem sich alle Artisten zu einer großen Schlussparade vereinigen.

§ 32

Übung 1: Eine neue Wohnung
1. Ich habe die Wohnungsanzeigen im Internet durchgesehen, um eine schöne neue Wohnung zu finden. 2. Als ich etwas Interessantes gefunden hatte, habe ich mir die Wegbeschreibung ausgedruckt, um gleich hinzufahren und mir die Wohnung anzusehen. 3. Ich beeilte mich, damit mir niemand zuvorkam. 4. Der Vermieter wartete schon vor der Haustür, um den Interessenten persönlich die Wohnung zu zeigen. 5. Als wir uns einig waren, habe ich die Wohnung genau vermessen, damit meine Möbel später auch hineinpassen. 6. Ich habe dann viele kleine Sachen mit dem eigenen Wagen transportiert, um Umzugskosten zu sparen. 7. Nur das teure Geschirr meiner Großmutter habe ich von einer Umzugsfirma packen lassen, damit die Versicherung den Schaden bezahlt, wenn etwas kaputtgeht. 8. Ich habe den Umzug an den Anfang meines Urlaubs gelegt, um meine Sachen in aller Ruhe einzuräumen.

Übung 2: Auf dem Bauernhof
1. Er (der Bauer) düngt im Frühjahr die Felder, damit die Pflanzen besser wachsen können. 2. Er hält Kühe, um Milch zu gewinnen. / damit er Milch gewinnen kann. 3. Er braucht eine Leiter, um Äpfel und Birnen zu ernten. / damit er Äpfel und Birnen ernten kann. 4. Er züchtet besonders hübsche Kaninchen, um sie an Touristen zu verkaufen. / damit er sie an Touristen verkaufen kann. 5. Er stellt Anzeigen ins Internet, um Fremdenzimmer in seinem Haus zu vermieten. / damit er Fremdenzimmer in seinem Haus vermieten kann. 6. Er vermietet Fremdenzimmer, um „Ferien auf dem Bauernhof" für Familien anzubieten. / damit er „Ferien auf dem Bauernhof" für Familien anbieten kann. 7. Er kauft einen Esel, damit sich die Kinder darüber freuen können. 8. Er baut das Dachgeschoss seines Hauses aus, um noch mehr Gäste unterzubringen. / damit er noch mehr Gäste unterbringen kann.

§ 33

Übung 1: Vergeblich
1. Der Wahlkampfhelfer Herr G. stand auf dem Marktplatz einer Kleinstadt, um für seine Partei zu werben. 2. Die Passanten gingen vorüber, ohne auf ihn zu hören, wenn er sie ansprach. / ohne dass sie auf ihn hörten, wenn er sie ansprach. 3. Herr G. rief ihnen nach, aber sie liefen weiter, anstatt ihm zuzuhören. / anstatt dass sie ihm zuhörten. 4. Herr G. hatte sich schon lange für seine Partei engagiert, um endlich Kandidat für den Gemeinderat zu werden. 5. Seine Parteifreunde lobten ihn immer als einen „guten Kerl", ohne ihm ein Amt zu geben. / ohne dass sie ihm ein Amt gaben. 6. Sie hatten ihm Hoffnungen gemacht, ohne sie erfüllt zu haben. / ohne dass sie sie erfüllt haben. 7. Herr G. ging in eine Kneipe, um sich aufzuwärmen. 8. Bauarbeitern erzählte er dort von seiner Enttäuschung, aber die lachten nur, anstatt Verständnis zu zeigen. / anstatt dass sie Verständnis zeigten. 9. Gekränkt verließ Herr G. die Kneipe und lief wütend nach Hause, ohne sich weiter um seine Wahlplakate und Flugblätter zu kümmern.

Übung 2:   Das Geburtstagsgeschenk
1. Herr Huber hatte ein Armband bestellt, um es seiner Frau zum Geburtstag zu schenken. 2. Er schickte die Bestellung ab, ohne aber seinen Absender anzugeben. / ohne dass er seinen Absender angab. 3. Er wartete vier Wochen, ohne dass das Armband kam. 4. Er ärgerte sich sehr, anstatt bei dem Versandhaus anzurufen. / anstatt dass er bei dem Versandhaus anrief. 5. Dann feierte Frau Huber Geburtstag, ohne dass ihr Mann ein Geschenk für sie hatte. 6. Schließlich schrieb Herr Huber doch eine E-Mail an das Versandhaus, damit man ihm das Armband endlich schicken sollte. 7. Wenige Tage später erhielt er das erwartete Päckchen, ohne dass das Versandhaus eine Erklärung für die Verspätung abgab. 8. Am selben Tag hatte sich Frau Huber das gleiche Armband gekauft, um sich auch einmal eine Freude zu machen.

Übung 3:   Arbeitskampf
1. Die Arbeiter eines Pharmaunternehmens streikten, a) ohne sich mit der Gewerkschaft abgesprochen zu haben. / ohne dass sie sich mit der Gewerkschaft abgesprochen hatten. b) ohne die Gewerkschaft davon informiert zu haben. / ohne dass sie die Gewerkschaft davon informiert hatten. 2. Die Unternehmensleitung leistete sich enorme private Ausgaben, a) ohne an das Wohl der Firma zu denken. / ohne dass sie an das Wohl der Firma dachte. b) anstatt wichtige Investitionen zu machen. 3. Die Eigentümer wollten die Firma verkaufen, a) ohne den Betriebsrat zu befragen. b) ohne dass die Auftragslage eine solche Maßnahme rechtfertigte. 4. Die Mitarbeiter forderten eine Betriebsversammlung, a) um sich über den Stand der Dinge zu informieren. b) damit die Unternehmensleitung Stellung nehmen konnte.

§ 34

Übung 1:   Am Flughafen
1. Bitte sagen Sie mir, wie lange wir hier warten müssen. 2. Ich habe noch nicht gehört, wann das nächste Flugzeug nach London startet. 3. Ich habe keine Ahnung, wie ich meinen Anschlussflug erreichen soll. 4. Jemand soll mir bitte erklären, warum die Maschine nicht starten kann. 5. Ich möchte wissen, bei wem ich mich informieren kann. 6. Ich konnte leider auch nicht erfahren, an wen man sich wenden kann. 7. Ich muss aber herausfinden, wann wir hier endlich wegkommen. 8. Mir ist nicht bekannt, wie viele Passagiere die nächste Maschine noch zusätzlich mitnehmen wird. 9. Informieren Sie mich bitte, wo ich meinen Flug umbuchen kann.

Übung 2:   Ein Verkehrsunfall
1. Die Untersuchung, ob ein technischer Defekt oder ein Fahrfehler den Unfall verursacht hat, kann lange dauern. 2. Die Frage, ob der Fahrer unter Alkoholeinfluss stand, kann nur eine Blutuntersuchung beantworten. 3. Die Frage, ob er zu schnell gefahren ist, wollte der Unfallverursacher nicht beantworten. 4. Die Entscheidung, ob der Mann seine Stelle als Fernfahrer behalten kann, hängt ganz vom Ergebnis der Gerichtsverhandlung ab. 5. Darüber, ob er seinen Führerschein verliert, muss der Richter befinden. 6. Die Ungewissheit, ob der Angeklagte sogar eine Gefängnisstrafe bekommt, macht ihn sehr nervös. 7. Die Antwort auf die Frage, ob der Angeklagte Reue zeigt, wird das Urteil des Richters entscheidend mitbestimmen.

Übung 3:   Vor dem Betriebsausflug
1. Es steht in der Rundmail von gestern, wohin wir fahren. 2. Wir werden sehen, wie viele Kollegen mitfahren. 3. Wir wissen nicht genau, wann wir zurückkommen. 4. Ich frage mich, ob wir Wanderschuhe anziehen sollen. 5. Ich möchte gern wissen, was der Ausflug kostet. 6. Sagen Sie mir bitte, ob ich vorne beim Fahrer sitzen darf. 7. Wir möchten alle gern wissen, wie das Wetter sein wird. 8. Man muss uns doch sagen, ob wir zum Mittagessen in ein Restaurant gehen oder nicht. 9. Kannst du bitte mal nachfragen, ob der Bus eine Klimaanlage hat?

§ 35

Übung 1: Kunden im Warenhaus
1. Kann ich die Jeans umtauschen, <u>die</u> ich gestern gekauft habe? 2. Ich suche ein T-Shirt, <u>das</u> zu dieser Hose passt. 3. Ich hätte lieber eine Jacke, <u>die</u> ich in der Maschine waschen kann. 4. Hier hängen die Anoraks, <u>die</u> auch gut für die kalte Jahreszeit geeignet sind. 5. Ich möchte den gleichen Pulli, <u>den</u> meine Freundin hat. 6. Dort drüben finden Sie Blusen, <u>die</u> gut zu diesem Rock passen. 7. Meine Tochter braucht einen Hosenanzug, <u>den</u> sie zur Arbeit und in der Freizeit tragen kann. 8. Das ist ein Kleid, <u>das</u> Sie sehr gut ins Theater anziehen können. 9. Bitte geben Sie mir eine Cordhose, <u>die</u> eine Nummer größer ist. 10. Haben Sie auch Halstücher, <u>die</u> etwas dezenter gemustert sind? 11. Hier ist ein Schal, <u>der</u> kein Preisschild hat. 12. Ich möchte den Trenchcoat zurückgeben, <u>den</u> ich eben anprobiert habe.

Übung 2: 1. Ein Hybridauto ist ein Auto, das von einem Verbrennungsmotor und einem Elektromotor angetrieben wird. 2. Ein Sektkorken ist ein Korken, der eine Sektflasche verschließt. 3. Eine Energiesparlampe ist eine Lampe, die wenig Strom verbraucht. 4. Ein Cheeseburger ist ein Hamburger, der mit Käse belegt ist. 5. Tempotaschentücher sind Taschentücher aus Papier, die man meistens nur einmal benutzen kann. 6. Ein Laptop ist ein Computer, den man überallhin mitnehmen kann. 7. Eine Wochenzeitschrift ist eine Zeitschrift, die jede Woche einmal erscheint. 8. Bio-Gemüse ist Gemüse, das biologisch angebaut wird. 9. Ein Blockhaus ist ein Haus, das aus Holz gebaut ist.

Übung 3: Was machst du mit 1. dem Keyboard, das du dir gekauft hast? 2. dem Handy, das einen schlechten Empfang hat? 3. den 100 CDs, die du aussortiert hast? 4. dem Wintermantel, der dir nicht mehr passt? 5. dem Notebook, das ständig abstürzt? 6. den 50 DVD-Rohlingen, die dir dein Bruder mitgebracht hat? 7. der Fotoausrüstung, die dir deine Mutter geschenkt hat? 8. dem Staubsauger, den deine Putzfrau kaputt gemacht hat?

Übung 4: 1. Wer ist die Frau, a) die immer so nett lacht? b) die du eben begrüßt hast? c) die gestern angerufen hat? 2. Kennst du die Leute, a) denen dieses Haus gehört? b) die da vor unserer Tür stehen? c) die unsere Nachbarin so freundlich begrüßt? 3. Frau Huber, a) die neben uns wohnt, b) der die Wohnung neben unserer gehört, c) die schon seit über dreißig Jahren hier wohnt, hat neun Enkelkinder. 4. Ich fliege morgen zu meinem Bruder, a) der seit drei Monaten in China lebt. b) dem ich beim Umzug helfen will. c) den ich schon lange nicht mehr gesehen habe. 5. Die Fußballspieler, a) denen ein Tor zum Sieg nicht reichte, b) die von ihren Fans angefeuert wurden, c) die diesmal nicht verlieren wollten, gaben ihr Letztes.

Übung 5: 1. a) Die Regisseurin, <u>deren</u> Film einen Oscar erhalten hatte, wurde mit Beifall begrüßt. b) Der Produzent, <u>dessen</u> Film einen Oscar erhalten hatte, wurde ... c) Die Hauptdarsteller, <u>deren</u> Film einen Oscar erhalten hatte, wurden ... 2. a) Der Doktorand, <u>dessen</u> Forschungsergebnisse viel Aufsehen erregten, bekam einen Förderpreis der Universität. b) Die Wissenschaftlerinnen, <u>deren</u> Forschungsergebnisse viel Aufsehen erregten, bekamen ... c) Der junge Professor, <u>dessen</u> Forschungsergebnisse viel Aufsehen erregten, bekam ... 3. a) Der Junge, <u>dessen</u> Mutter drei Wochen auf Kur war, lebte in dieser Zeit bei Verwandten. b) Das Kind, <u>dessen</u> Mutter drei Wochen auf Kur war, lebte ... c) Die Geschwister, <u>deren</u> Mutter drei Wochen auf Kur war, lebten ... 4. a) Das Bild, <u>dessen</u> Herkunft ungewiss ist, soll genau geprüft werden. b) Die antike Vase, <u>deren</u> Herkunft ungewiss ist, soll ... c) Die Manuskripte, <u>deren</u> Herkunft ungewiss ist, sollen ... 5. a) Die jungen Leute, <u>deren</u> Auto eine Panne hatte, riefen den Automobilclub an. b) Die Fahrerin, <u>deren</u> Auto eine Panne hatte, rief ... c) Der Fahrer, <u>dessen</u> Auto eine Panne hatte, rief ... 6. a) Der Verein, <u>dessen</u> Mitgliederzahlen erheblich gestiegen waren, beschloss die Mitgliedsbeiträge zu senken. b) Die Partei, <u>deren</u> Mitgliederzahlen erheblich gestiegen waren, beschloss ... c) Die Gewerkschaften, <u>deren</u> Mitgliederzahlen erheblich gestiegen waren, beschlossen ...

Übung 6: Der Skateboard-Wettbewerb
1. Mitarbeiter eines Wachdienstes, deren Aufgabe es war, die Durchgangswege frei zu halten, stellten Absperrgitter auf. 2. Im Zuschauerbereich warteten vor allem Väter und Mütter, deren Kinder an dem Wettbewerb teilnahmen. 3. Ein Skater, dessen Skateboard bei einem Trick gebrochen war, musste mit einem verstauchten Knöchel ins Krankenhaus gebracht werden.

4. Die Veranstalter, deren Anliegen es war, die anderen Teilnehmer nicht zu beunruhigen, gaben über Lautsprecher durch, dass er keine ernsthafte Verletzung erlitten hat. 5. Helfer kümmerten sich um eine Mutter, deren kleine Tochter sich verlaufen hatte. 6. Sanitäter versorgten einen Zuschauer, dessen Kreislauf wegen der Hitze Probleme gemacht hatte, mit Getränken. 7. Die Veranstalter des Wettbewerbs dankten allen freiwilligen Helfern, deren Einsatz vorbildlich war.

Übung 7 a): Quizfragen
1. Das Gebiet am Rhein, <u>in dem</u> / <u>wo</u> früher Kohle und Eisenerz gefördert wurden, heißt Ruhrgebiet. 2. Die Rennstrecke, <u>auf der</u> / <u>wo</u> das bekannteste Autorennen in Deutschland stattfindet, heißt Nürburgring. 3. Das Meer an der Westküste Schleswig-Holsteins, <u>an dem</u> / <u>wo</u> man Ebbe und Flut besonders gut beobachten kann, heißt Nordsee. 4. Das Gebirge, <u>in dem</u> / <u>wo</u> die höchsten Berge Europas stehen, sind die Alpen. 5. Die Stadt, <u>in der</u> / <u>wo</u> Beethoven geboren wurde, heißt Bonn. 6. Die Stadt, <u>in der</u> / <u>wo</u> er gestorben ist, heißt Wien. 7. Das Gebäude, <u>in dem</u> / <u>wo</u> der Bürgermeister sein Büro hat, heißt Rathaus.

Übung 7 b): 1. Nach Ägypten, <u>wohin</u> viele Zugvögel im Herbst fliegen, zieht es in der kalten Jahreszeit auch viele Touristen. 2. Ich musste mit meiner Familie nach Rumänien umziehen, <u>wohin</u> unsere Firma ihre Produktion verlagert hat. 3. In der Hauptstadt Berlin, <u>wo</u> die deutsche Regierung ihren Sitz hat, werden fast täglich ausländische Diplomaten empfangen. 4. In der Antarktis, <u>wo</u> die Temperaturen meistens unter minus 30 Grad liegen, fühlen sich eigentlich nur Pinguine wohl. 5. Viele Exilanten gehen in die USA, <u>wo</u> sie die Freiheit finden, die sie in ihren Heimatländern nicht haben. 6. In Oslo, <u>wohin</u> viel französischer Sekt exportiert wird, trinkt man ihn gern schon zum Frühstück.

Übung 8: 1. Ein Parkplatz ist ein Platz, auf dem man sein Auto vorübergehend abstellen darf. 2. Ein Laptop ist ein Computer, mit dem man unterwegs arbeiten kann. 3. Eine Suchmaschine ist eine geniale Erfindung, mit deren Hilfe man Informationen im Internet finden kann. 4. Ein Staubsauger ist ein Gerät, mit dem man Teppiche säubern kann. 5. Eine Digitalkamera ist ein Aufnahmegerät, mit dem man Bilder nicht auf einen Film, sondern auf einer elektronischen Speicherkarte aufzeichnet. 6. Eine Festplatte ist ein Speichermedium, auf dem man in einem Computer Daten speichern kann. 7. Ein Tresor ist ein Schrank aus Stahl, in dem man Wertsachen vor Diebstahl und Feuer schützen kann. 8. Güterzüge sind Eisenbahnzüge, in denen man Waren transportiert.

Übung 9: Am Ende einer Tagung
1. Wer das Abschlussprotokoll noch nicht erhalten hat, (der) soll es sich bei mir abholen. 2. Wem eine Formulierung nicht gefällt, (der) soll es mir sagen. 3. Wer noch Fragen hat, (der) soll sie bitte jetzt stellen. 4. Wem noch etwas Wichtiges einfällt, (der) soll es bitte für die nächste Sitzung notieren. 5. Wer seine Reisekostenabrechnung schon fertig hat, (der) soll sie gleich in der Buchhaltung abgeben. 6. Wer noch Geld zurückbekommt, (der) soll sich in unserem Büro melden. 7. Wer heute Abend die Oper besuchen möchte, (der) soll sich die Karten an der Abendkasse geben lassen. 8. Wen die Veröffentlichung der Vorträge interessiert, (der) soll sich in die Bestellliste eintragen. 9. Wer noch weitere Informationen braucht, (der) soll sich bitte an meinen Assistenten wenden.

Übung 10: 1. Worüber sprechen die Abgeordneten? – Über das Erziehungsgeld. 2. Wovon berichten die Reporter? – Von Naturkatastrophen. 3. Womit rechnen die meisten Bürger? – Mit einem Anstieg von Steuern und Abgaben. 4. Worüber staunen die Touristen? – Über die Moscheen in Isfahan. 5. Wovor warnen Experten? – Vor Internetkriminalität. 6. Wofür kämpfen die Ladenbesitzer? – Für längere Öffnungszeiten. 7. Woran nahmen auch Dreißigjährige teil? – An der Informationsveranstaltung über die finanzielle Absicherung im Alter. 8. Worüber unterhalten sich unsere Verwandten gern? – Über unsere Eheprobleme. 9. Womit haben die beiden Zeugen nichts zu tun? – Mit dem Unfall. 10. Worum streiten sich die Nachbarn? – Um die Grenze zwischen ihren Grundstücken. 11. Wovor sollen Alarmanlagen schützen? – Vor Einbrechern. 12. Wovon halten die Architekten nichts? – Von dem Plan des Stadtrats.

Übung 11: Umweltverschmutzung
1. Tankschiffe lassen jährlich mehrere Millionen Liter Ölreste ins Meer ab, wo sich riesige Ölteppiche bilden. 2. Auch mit den Flüssen werden sehr viele industrielle Schadstoffe ins Meer transportiert, worauf Umweltschützer immer wieder warnend aufmerksam machen.

3. Die Umweltverschmutzung verursacht immer größere Schäden, worüber sich Fachleute große Sorgen machen. 4. Durch Kohlekraft- werke gelangen jährlich viele Millionen Tonnen CO_2 in die Atmosphäre, was zu einer katastrophalen Erderwärmung führen kann. 5. Viele ehemals fruchtbare Landschaften im Süden Nordafrikas sind schon zu Wüsten geworden, wodurch Nomaden und Dorfbewohner in die Städte getrieben wurden. 6. Jährlich verschwindet ein großer Prozentsatz der tropischen Regenwälder, wodurch das Weltklima negativ beeinflusst wird. 7. Immer wieder verstoßen manche Länder gegen das Walfangverbot, wogegen Artenschutzorganisationen heftig protestieren, was aber leider nicht immer den gewünschten Erfolg hat. 8. Naturschützer versuchen auch, Nutzfische wie Dorsch und Hering vor der Ausrottung zu bewahren, wobei sie oft mit nationalen Interessen in Konflikt geraten.

Übung 12: Ein Brief
1. Was mir Hoffnung macht, ist, dass er aufsteht und schon wieder normal läuft. 2. Was nach dem Schlaganfall leider zurückgeblieben ist, ist ein leichtes Zittern seiner linken Hand. 3. Was sein Arzt ihm geraten hat, ist, dass er das Rauchen aufgeben soll. 4. Was mich beunruhigt, sind seine kleinen Gedächtnislücken. 5. Was er während seiner Krankheit vergessen haben muss, ist, dass er einige Jahre in Berlin gelebt hat. 6. Was mir auffiel, ist, dass er auf alten Fotos seine ehemaligen Nachbarn nicht wiedererkennen konnte. 7. Was mich tröstet, ist, dass er diesen Gedächtnisverlust nicht bemerkt. 8. Was er trotz seiner 89 Jahre behalten hat, ist seine positive Lebenseinstellung.

Gesamtübung: Satzverknüpfungen

Übung: Eine Begebenheit aus der Provinz
(1) Ein junger Mann, der einige Zeit in einer Druckerei gearbeitet hatte, in der / wo er sich seine Kenntnisse angeeignet hatte, stand vor Gericht, weil / da er falsche Fünfzigeuroscheine hergestellt hatte. / ... denn er hatte falsche Fünfzigeuroscheine hergestellt.
(2) Obwohl / Obgleich / Obschon er sehr vorsichtig gewesen war und nur nachts gearbeitet hatte, hatte man ihn erwischt. – Er war sehr vorsichtig gewesen und hatte nur nachts gearbeitet, dennoch / trotzdem hatte man ihn erwischt. – Er war zwar / Zwar war er sehr vorsichtig gewesen und hatte nur nachts gearbeitet, aber man hatte ihn doch erwischt.
(3) Der Hausmeister war aufmerksam geworden und hatte ihn bei der Polizei angezeigt, denn er hatte ihn einige Male nachts in den Keller schleichen sehen. / ... weil / da er ihn nachts einige Male hatte in den Keller schleichen sehen. – Der Hausmeister, der ihn einige Male nachts hatte in den Keller schleichen sehen, war aufmerksam geworden und hatte ihn bei der Polizei angezeigt.
(4) Der Richter war dem Angeklagten, der sofort alles gestanden hatte, freundlich gesinnt, dennoch / trotzdem war ihm eine Gefängnisstrafe von zwei bis drei Jahren sicher, weil / da Geldfälschen hart bestraft wird. / ... denn Geldfälschen wird hart bestraft. – Obwohl / Obgleich / Obschon der Richter dem Angeklagten, der sofort alles gestanden hatte, freundlich gesinnt war, war ihm eine Gefängnisstrafe von zwei bis drei Jahren sicher, weil / da Geldfälschen hart bestraft wird. / ... denn Geldfälschen wird hart bestraft. – Zwar war der Richter / Der Richter war zwar dem Angeklagten, der sofort alles gestanden hatte, freundlich gesinnt, (aber) dennoch / trotzdem war ihm eine Gefängnisstrafe von zwei bis drei Jahren sicher, weil / da Geldfälschen hart bestraft wird. / ... denn Geldfälschen wird hart bestraft.
(5) Zu Beginn der Verhandlung las der Richter die Anklageschrift vor, in der alle Beweisstücke aufgezählt waren: der nachgemachte Kellerschlüssel, die Druckplatten und die falschen Fünfzigeuroscheine.
(6) Obwohl / Obgleich / Obschon dem Gericht das belastende Material vorlag, fehlte zum großen Erstaunen des Richters das Falschgeld. – Das belastende Material lag dem Gericht (zwar) vor / Zwar lag dem Gericht das belastende Material vor, (aber) dennoch / trotzdem fehlte zum großen Erstaunen des Richters das Falschgeld.
(7) Da / Weil man es nirgends finden konnte, wurde bei der Polizeidienststelle angerufen, die den Fall bearbeitet (hatte) und das Beweismaterial gesammelt hatte. Die Antwort war kurz: „Die Fünfzigeuroscheine haben wir am 3. dieses Monats durch die Post überweisen lassen."

§ 36

Übung 1:   1. derjenige Geologe, diejenige Geologin, diejenigen Geologen, diejenigen Geologinnen 2. mit diesem Arzt, mit dieser Ärztin, mit diesen Ärzten, mit diesen Ärztinnen 3. von jenem Maler, von jener Malerin, von jenen Malern / Malerinnen 4. wegen desselben Sängers, wegen derselben Sängerin, wegen derselben Sänger / Sängerinnen 5. durch denjenigen Kommissar, durch diejenige Kommissarin, durch diejenigen Kommissare / Kommissarinnen 6. ein solcher Kollege, eine solche Kollegin, solche Kollegen / Kolleginnen 7. trotz dieses Richters, trotz dieser Richterin, trotz dieser Richter / Richterinnen 8. derselbe Notar, dieselbe Notarin, dieselben Notare / Notarinnen

Übung 2 a):   Ein schwieriger Kunde
1. Was halten Sie von diesem Wäschetrockner? – Also, diesen Wäschetrockner nehme ich nicht, der ist mir zu groß. 2. Was halten Sie von diesen Küchenmöbeln? – Also, diese Küchenmöbel nehme ich nicht, die sind mir zu bunt. 3. Was halten Sie von dieser Kaffeemaschine? – Also, diese Kaffeemaschine nehme ich nicht, die ist mir zu unpraktisch. 4. Was halten Sie von diesem CD-Player? – Also, diesen CD-Player nehme ich nicht, der ist mir zu altmodisch. 5. Was halten Sie von dieser Spiegelreflexkamera? – Also, diese Spiegelreflexkamera nehme ich nicht, die ist mir zu kompliziert. 6. Was halten Sie von diesem Notebook? – Also, dieses Notebook nehme ich nicht, das ist mir zu teuer.

Übung 2 b):   Ein einfacher Kunde
1. Wie gefällt Ihnen diese Couchgarnitur hier? – Die gefällt mir recht gut; die gleiche hat meine Schwester. 2. Wie gefällt Ihnen dieser Ledersessel hier? – Der gefällt mir recht gut; den gleichen haben meine Eltern. 3. Wie gefällt Ihnen dieses Bücherregal hier? – Das gefällt mir recht gut; das gleiche hat meine Freundin. 4. Wie gefällt Ihnen diese Stehlampe hier? – Die gefällt mir recht gut; die gleiche hat mein Freund. 5. Wie gefällt Ihnen dieser Bürostuhl hier? – Der gefällt mir recht gut; den gleichen hat meine Kollegin. 6. Wie gefällt Ihnen dieser Rasenmäher hier? – Der gefällt mir recht gut; den gleichen hat mein Nachbar.

Übung 2 c):   Der Verkäufer empfiehlt
1. Welchen Flachbildschirm können Sie mir empfehlen? – Ich empfehle Ihnen diesen Flachbildschirm, der ist zurzeit sogar im Sonderangebot. 2. Welchen MP3-Player können Sie mir empfehlen? – Ich empfehle Ihnen diesen MP3-Player, der ist Testsieger. 3. Welche Lautsprecherboxen können Sie mir empfehlen? – Ich empfehle Ihnen diese Lautsprecherboxen, die haben einen sehr guten Klang. 4. Welches Navigationssystem können Sie mir empfehlen? – Ich empfehle Ihnen dieses Navigationssystem, das ist wirklich sehr zuverlässig. 5. Welche Playstation können Sie mir empfehlen? – Ich empfehle Ihnen diese Playstation, die ist unglaublich preiswert. 6. Welches Dampfbügeleisen können Sie mir empfehlen? – Ich empfehle Ihnen dieses Dampfbügeleisen, das ist angenehm leicht.

Übung 3:   Zwei alte Schulfreunde treffen sich zufällig am Bahnhof
Alfons: Bist du auch mit dies_em_ Zug gekommen?
Michael: Ja, du auch? Das ist ja witzig, dann haben wir ja in d_emselben_ Zug gesessen!
A.: Lange nicht mehr gesehen. Was machst du eigentlich zurzeit?
M.: D_as_ möchtest du wohl gern wissen? Ich mache mal dies_, mal d_as_, mal lebe ich in dies_er_ Stadt, mal in jen_er_.
A.: Das klingt ja interessant! Sag mal, hast du mal wieder was von Katrin gehört?
M.: Nö, keine Ahnung, wo d_ie_ sich herumtreibt.
A.: Ich glaube, ich habe sie neulich mit dies_em_ Klaus gesehen. Kennst du d_en_ eigentlich?
M.: Ja, ich glaube schon, irgendwann ist d_er_ mir sicher mal über den Weg gelaufen. Ist das d_erselbe_ Klaus, d_er_ mal bei dir in der WG gewohnt hat?
A.: Also, d_erjenige_, d_en_ ich meine, das ist dies_er_ blonde Klaus, d_er_ mal mit Uschi zusammen war. Erinnerst du dich an d_en_?
M.: Ja, d_er_ kann das gewesen sein. D_er_ war nämlich tatsächlich blond.
A.: Ich fahre heute Abend mit d_em_ Zug um 19.45 Uhr wieder zurück. Und du, fährst du mit d_emselben_ Zug?
M.: Ja! Prima, dann treffen wir uns sicher wieder!

Übung 4: 1. Wenn Kinder krank sind, soll man ihnen spannende Geschichten erzählen, <u>das</u> hilft oft mehr als die beste Medizin. 2. Natürlich war <u>es</u> traurig, dass der begabte Künstler nie wirklich Erfolg gehabt hatte. 3. Ich war gestern in einer Vorstellung des Moskauer Staatszirkus. <u>Es</u> war erstaunlich zu sehen, wie exakt die Artisten arbeiten. 4. Glaubt ihr, dass ihr in München so einfach eine günstige Wohnung finden werdet? <u>Das</u> wäre schon ein Glücksfall. 5. Du musst endlich deine Steuererklärung machen. <u>Es</u> ist gar nicht gut, dass du die Sache so lange hinausschiebst. 6. Dass ein 18-jähriger Schüler den Nobelpreis bekommen hat, kann ich nicht glauben. <u>Das</u> ist doch unmöglich! 7. Ich habe dich viermal angerufen, aber du bist nicht ans Telefon gegangen. <u>Das</u> hat mich sehr gewundert und ich bin gleich zu deiner Wohnung gefahren. 8. Bitte ruf mich ruhig öfter an. <u>Es</u> freut mich sehr, wenn ich von dir höre. 9. Aber ein Glas Rotwein wirst du doch trinken dürfen. <u>Das</u> macht doch nichts. Du fährst doch erst in zwei Stunden nach Hause.

§ 37

Übung 1: Guter Rat

1. Du musst dich doch vor <u>niemandem</u> schämen. 2. <u>Jemand</u> wie du muss den Kopf nicht hängen lassen. 3. Ich weiß ja, du bist enttäuscht, weil deine Arbeit von <u>niemandem</u> anerkannt wurde. 4. Dabei hast du alles allein machen müssen, <u>niemand</u> hat dir geholfen. 5. Wenn ich <u>jemandem</u> wirklich gern helfen würde, dann bist du es. 6. Ich kenne <u>jemanden</u>, der deine Arbeit lesen und sie anerkennen wird. 7. Wenn du aber <u>niemandes</u> Rat annehmen willst, dann kann dir auch <u>niemand</u> helfen.

Übung 2: 1. Ja, wir haben noch eins für dich. – Nein, wir haben keins für dich. 2. Ja, ich mache dir eins. – Nein, ich mache dir keins. 3. Ja, wir haben einen für dich. – Nein, wir haben keinen für dich. 4. Ja, wir möchten eine. – Nein, wir möchten keine. 5. Ja, das ist einer. – Nein, das ist keiner. 6. Ja, ich nehme mir eins. – Nein, ich nehme mir keins. 7. Ja, ich brauche noch einen. – Nein, ich brauche keinen. 8. Ja, das ist eine. – Nein, das ist keine.

Übung 3: Ein Fest

<u>Alle</u> Gäste waren pünktlich eingetroffen. Fast <u>jeder</u> Gast hatte einen Blumenstrauß mitgebracht. <u>Alle</u> Besucher wurden vom Hausherrn persönlich begrüßt, obwohl er nicht <u>jeden</u> Gast kannte. Das Büfett war schon vorbereitet und <u>jeder</u> nahm sich, was er wollte. <u>Alle</u> durften sich selbst bedienen, aber bei <u>allen</u> den guten Sachen wusste mancher nicht, was er zuerst nehmen sollte. Natürlich gab es für <u>jeden</u> Geschmack etwas zu trinken: Sekt, Wein, Bier, aber auch verschiedene Säfte, denn nicht <u>jeder</u> mochte oder durfte Alkohol trinken. Die Gastgeber hatten sich wirklich <u>alle</u> Mühe gegeben. <u>Jedem</u> schmeckte es offenbar großartig, denn nach zwei Stunden war so gut wie <u>alles</u> aufgegessen.

Übung 4: 1. a) Er hatte sich mit <u>einigen anderen</u> zusammengetan und Lotto gespielt. b) Die Tippgemeinschaft hat <u>einiges</u> gewonnen; was macht sie jetzt mit dem <u>vielen</u> Geld? 2. a) Er hat eine Galerie mit sehr <u>vielen</u> wertvollen Kunstwerken. b) <u>Einige</u> Exponate sind <u>mehr</u> als 50 000 Euro wert. 3. a) Sie hat <u>viele</u> exotische Pflanzen in ihrem Garten gepflanzt. b) Mit <u>einigen</u> hat sie Glück gehabt, sie sind gut angewachsen; mit <u>einigen anderen</u> hat sie weniger Glück, sie wollen nicht recht wachsen. 4. a) Die Zollbeamten untersuchten jeden <u>einzelnen</u> meiner Koffer. b) Bei <u>anderen</u> Leuten waren sie nicht so genau. 5. a) Die Einwohnerzahlen <u>vieler</u> Städte in Deutschland sind in den letzten Jahren gestiegen. b) Die Einwohnerzahlen <u>einiger weniger</u> Städte sind jedoch gesunken.

§ 39

Übung 1:   1. der freundliche Herr / die alte Dame / das kleine Mädchen; wegen des freundlichen Herrn / der alten Dame / des kleinen Mädchens; mit dem freundlichen Herrn / der alten Dame / dem kleinen Mädchen; ohne den freundlichen Herrn / die alte Dame / das kleine Mädchen 2. mancher alte Esel / diese kleine Hexe / jenes große Kamel; trotz manchen alten Esels / dieser kleinen Hexe / jenes großen Kamels; von manchem alten Esel / dieser kleinen Hexe / jenem großen Kamel; für manchen alten Esel / diese kleine Hexe / jenes große Kamel 3. dieser dunkle Wald / jene grüne Wiese / das tiefe Tal; oberhalb dieses dunklen Waldes / jener grünen Wiese / des tiefen Tals; gegenüber diesem dunklen Wald / jener grünen Wiese / dem tiefen Tal; durch diesen dunklen Wald / jene grüne Wiese / das tiefe Tal 4. der teure Mantel / die goldene Halskette / das wertvolle Schmuckstück; statt des teuren Mantels / der goldenen Halskette / des wertvollen Schmuckstücks; mit dem teuren Mantel / der goldenen Halskette / dem wertvollen Schmuckstück; ohne den teuren Mantel / die goldene Halskette / das teure Schmuckstück 5. derselbe freche Junge / dieselbe mutige Frau / dasselbe vergessliche Mädchen; ungeachtet des frechen Jungen / derselben mutigen Frau / desselben vergesslichen Mädchens; bei demselben frechen Jungen / derselben mutigen Frau / demselben vergesslichen Mädchen; für denselben frechen Jungen / dieselbe mutige Frau / dasselbe vergessliche Mädchen

Übung 2:   1. die linken Politiker / trotz der linken Politiker / von den linken Politikern / über die linken Politiker 2. die rechten Parteien / wegen der rechten Parteien / mit den rechten Parteien / ohne die rechten Parteien 3. die schweren Lastwagen / infolge der schweren Lastwagen / zwischen den schweren Lastwagen / durch die schweren Lastwagen 4. die zu engen Schuhe / trotz der zu engen Schuhe / mit den zu engen Schuhen / ohne die zu engen Schuhe 5. die verpassten Gelegenheiten / trotz der verpassten Gelegenheiten / von den verpassten Gelegenheiten / für die verpassten Gelegenheiten 6. die neuen Erkenntnisse / statt der neuen Erkenntnisse / mit den neuen Erkenntnissen / gegen die neuen Erkenntnisse

Übung 3:   1. der linke Politiker / trotz des linken Politikers / von dem linken Politiker / über den linken Politiker 2. die rechte Partei / wegen der rechten Partei / mit der rechten Partei / ohne die rechte Partei 3. der schwere Lastwagen / infolge des schweren Lastwagens / zwischen dem schweren Lastwagen / durch den schweren Lastwagen 4. der zu enge Schuh / trotz des zu engen Schuhs / mit dem zu engen Schuh / ohne den zu engen Schuh 5. die verpasste Gelegenheit / trotz der verpassten Gelegenheit / von der verpassten Gelegenheit / für die verpasste Gelegenheit 6. die neue Erkenntnis / statt der neuen Erkenntnis / mit der neuen Erkenntnis / gegen die neue Erkenntnis

Übung 4:   Im Tierheim
1. ein grüner Papagei: Kommen Sie wegen eines grünen Papageis? – Ja, ich suche nach einem grünen Papagei. 2. ein kleines Meerschweinchen: Kommen Sie wegen eines kleinen Meerschweinchens? – Ja, ich suche nach einem kleinen Meerschweinchen. 3. eine zahme Ratte: Kommen Sie wegen einer zahmen Ratte? – Ja, ich suche nach einer zahmen Ratte. 4. ein drei Monate altes Hündchen: Kommen Sie wegen eines drei Monate alten Hündchens? – Ja, ich suche nach einem drei Monate alten Hündchen. 5. eine ungiftige Schlange: Kommen Sie wegen einer ungiftigen Schlange? – Ja, ich suche nach einer ungiftigen Schlange. 6. ein weißes Kaninchen: Kommen Sie wegen eines weißen Kaninchens? – Ja, ich suche nach einem weißen Kaninchen.

Übung 5:   1. Was soll ich denn mit einem zerrissenen Tischtuch? Ein zerrissenes Tischtuch kann ich doch nicht gebrauchen. 2. Was soll ich denn mit einem kaputten Auto? Ein kaputtes Auto kann ich ... 3. Was soll ich denn mit einem defekten Fernseher? Einen defekten Fernseher kann ich ... 4. Was soll ich denn mit einem schiefen Gartenstuhl? Einen schiefen Gartenstuhl kann ich ... 5. Was soll ich denn mit einer rostigen Pfanne? Eine rostige Pfanne kann ich ... 6. Was soll ich denn mit einem falschen Pass? Einen falschen Pass kann ich ... 7. Was soll ich denn mit einer ungültigen Fahrkarte? Eine ungültige Fahrkarte kann ich ... 8. Was soll ich denn mit einem welken Blumenstrauß? Einen welken Blumenstrauß kann ich ... 9. Was soll ich denn mit einem krummen Nagel? Einen krummen Nagel kann ich ... 10. Was soll ich denn mit einem stumpfen Messer? Ein stumpfes Messer kann ich ... 11. Was soll ich denn mit einer schmutzigen Jacke? Eine schmutzige Jacke kann ich ... 12. Was soll ich denn mit einer ungenauen Waage? Eine ungenaue Waage kann ich ...

Übung 6:   1. Was soll ich denn mit zerrissenen Tischtüchern? Zerrissene Tischtücher kann ich doch nicht gebrauchen. 2. Was soll ich denn mit kaputten Autos? Kaputte Autos kann ich ... 3. Was soll ich denn mit defekten Fernsehern? Defekte Fernseher kann ich ... 4. Was soll ich denn mit schiefen Gartenstühlen? Schiefe Gartenstühle kann ich ... 5. Was soll ich denn mit rostigen Pfannen? Rostige Pfannen kann ich ... 6. Was soll ich denn mit falschen Pässen? Falsche Pässe kann ich ... 7. Was soll ich denn mit ungültigen Fahrkarten? Ungültige Fahrkarten kann ich ... 8. Was soll ich denn mit welken Blumensträußen? Welke Blumensträuße kann ich ... 9. Was soll ich denn mit krummen Nägeln? Krumme Nägel kann ich ... 10. Was soll ich denn mit stumpfen Messern? Stumpfe Messer kann ich ... 11. Was soll ich denn mit schmutzigen Jacken? Schmutzige Jacken kann ich ... 12. Was soll ich denn mit ungenauen Waagen? Ungenaue Waagen kann ich ...

Übung 7:   Wetter
1. Erwarten Sie einen heftigen Regenschauer? – Ja, es wird sogar von heftigen Regenschauern gesprochen. 2. Erwarten Sie ein gefährliches Gewitter? – Ja, es wird sogar von gefährlichen Gewittern gesprochen. 3. Erwarten Sie einen starken Schneefall? – Ja, es wird sogar von starken Schneefällen gesprochen. 4. Erwarten Sie einen heiteren Sonnentag? – Ja, es wird sogar von heiteren Sonnentagen gesprochen. 5. Erwarten Sie eine heiße Sommerwoche? – Ja, es wird sogar von heißen Sommerwochen gesprochen. 6. Erwarten Sie einen regnerischen Herbstmonat? – Ja, es wird sogar von regnerischen Herbstmonaten gesprochen. 7. Erwarten Sie einen warmen Winter? – Ja, es wird sogar von warmen Wintern gesprochen.

Übung 8:   1. Wo ist denn mein_ altes Fahrrad? – Dein altes Fahrrad habe ich ... 2. Wo ist denn (eigentlich) deine hellblaue Küchenuhr (geblieben)? – Meine hellblaue Küchenuhr habe ich ... 3. Wo ist denn (eigentlich) euer_ wertvoller Teppich (geblieben)? – Unseren wertvollen Teppich haben wir ... 4. Wo ist denn eure chinesische Vase? – Unsere chinesische Vase haben wir ... 5. Wo ist denn Ihr kranker Hund? – Meinen kranken Hund habe ich ... 6. Wo ist denn eure gestrige Zeitung? – Unsere gestrige Zeitung haben wir ... 7. Wo ist denn (eigentlich) Ihr herrliches Bild (geblieben)? – Mein herrliches Bild habe ich ... 8. Wo ist denn dein_ zweites Auto? – Mein zweites Auto habe ich ... 9. Wo ist denn Ihre antike Tischlampe? – Meine antike Tischlampe habe ich ...

Übung 9:   Was hast du mit deinem eleganten Wagen / mit deinem schnellen Motorrad / mit deinen schönen Büchern / mit deinem vielen Geld / mit deinem früheren Handyvertrag / mit deiner schwarzen Katze / mit deinen alten Möbeln / mit deinen seltenen Briefmarken / mit deinem hübschen Garten / mit deiner zweiten Garage gemacht? – Was hast du ohne deinen eleganten Wagen / ohne dein schnelles Motorrad / ohne deine schönen Bücher / ohne dein vieles Geld / ohne deinen früheren Handyvertrag / ohne deine schwarze Katze / ohne deine alten Möbel / ohne deine seltenen Briefmarken / ohne deinen hübschen Garten / ohne deine zweite Garage gemacht?
(Alle anderen Possessivartikel haben die gleichen Endungen.)

Übung 10:   1. wegen ihrer frechen Bemerkungen 2. trotz unserer wiederholten Anfragen 3. wegen seines interessanten Bericht(e)s 4. trotz seiner freundlichen E-Mails 5. wegen ihres kranken Kindes 6. während unserer langen Reise 7. wegen seiner ungenauen Wegbeschreibung 8. trotz ihrer hohen Rechnungen

Übung 11:   Der Gastgeber bietet an:
Hier ist 1. süßer Saft. 2. köstlicher Rotwein. 3. kalter Sekt. 4. eisgekühltes Wasser. 5. frisch gepresster Gemüsesaft. 6. warme Milch. 7. erfrischende Limonade. 8. schwarzer Tee. 9. starker Kaffee. 10. frisches Brot. 11. leckerer Kuchen. 12. gesalzene Butter. 13. geräucherter Speck. 14. kalter Braten. 15. heiße Suppe.

Übung 12:   Lösungsbeispiele: Ich bewirte meine Gäste a) mit köstlichem Rotwein und eisgekühltem Wasser, nicht mit schwarzem Tee und gepresstem Gemüsesaft. b) mit frischem Brot und geräuchertem Speck, nicht mit heißer Suppe und kaltem Braten. c) mit kaltem Sekt und erfrischender Limonade, nicht mit warmer Milch und starkem Kaffee.

Übung 13:   Bitte nehmen Sie noch ... / Möchten Sie nicht noch ...? 1. ein Glas süßen Saft. 2. ein Glas köstlichen

Rotwein. 3. ein Glas kalten Sekt. 4. ein Glas eisgekühltes Wasser. 5. ein Glas frisch gepressten Gemüse-saft. 6. ein Glas warme Milch. 7. ein Glas erfrischende Limonade. 8. eine Tasse schwarzen Tee. 9. eine Tasse starken Kaffee. 10. eine Scheibe frisches Brot. 11. ein Stück leckeren Kuchen. 12. ein Stück gesalzene Butter. 13. eine Scheibe geräucherten Speck. 14. eine Scheibe kalten Braten. 15. einen Teller heiße Suppe.

Übung 14:   Nach der Party ist einiges liegen geblieben:
1. hübsche Tasche: Wessen hübsche Tasche ist das? – Das ist Martinas hübsche Tasche. 2. bunter Schirm: Wessen bunter Schirm ist das? – Das ist Stefans bunter Schirm. 3. warmer Mantel: Wessen warmer Mantel ist das? – Das ist Saras warmer Mantel. 4. gelbe Mütze: Wessen gelbe Mütze ist das? – Das ist Carlos gelbe Mütze. 5. silbernes Armband: Wessen silbernes Armband ist das? – Das ist Tatjanas silbernes Armband. 6. wollener Schal: Wessen wollener Schal ist das? – Das ist Richards wollener Schal. 7. weiße Handschuhe: Wessen weiße Handschuhe sind das? – Das sind Angelas weiße Handschuhe. 8. blaue Jacke: Wessen blaue Jacke ist das? – Das ist Florians blaue Jacke. 9. neues Handy: Wessen neues Handy ist das? – Das ist Mariams neues Handy. 10. kleiner Kalender: Wessen kleiner Kalender ist das? – Das ist Michaels kleiner Kalender.

Übung 15 a):   Gib mir 1. Martinas hübsche Tasche! Ich bringe sie ihr vorbei. 2. Stefans bunten Schirm! Ich bringe ihn ihm vorbei. 3. Saras warmen Mantel! Ich bringe ihn ihr vorbei. 4. Carlos gelbe Mütze! Ich bringe sie ihm vorbei 5. Tatjanas silbernes Armband! Ich bringe es ihr vorbei. 6. Richards wollenen Schal! Ich bringe ihn ihm vorbei. 7. Angelas weiße Handschuhe! Ich bringe sie ihr vorbei. 8. Florians blaue Jacke! Ich bringe sie ihm vorbei. 9. Mariams neues Handy! Ich bringe es ihr vorbei. 10. Michaels kleinen Kalender! Ich bringe ihn ihm vorbei.

Übung 15 b):   Was machst du denn 1. mit Martinas hübscher Tasche? – Ich will sie ihr vorbeibringen. 2. mit Stefans buntem Schirm? – Ich will ihn ihm vorbeibringen. 3. mit Saras warmem Mantel? – Ich will ihn ihr vor-beibringen. 4. mit Carlos gelber Mütze? – Ich will sie ihm vorbeibringen. 5. mit Tatjanas silbernem Armband? – Ich will es ihr vorbeibringen. 6. mit Richards wollenem Schal? – Ich will ihn ihm vorbei-bringen. 7. mit Angelas weißen Handschuhen? – Ich will sie ihr vorbeibringen. 8. mit Florians blauer Jacke? – Ich will sie ihm vorbeibringen. 9. mit Mariams neuem Handy? – Ich will es ihr vorbeibringen. 10. mit Michaels kleinem Kalender? – Ich will ihn ihm vorbeibringen.

Übung 16:   1. ein salomonisches Urteil fällen = eine besonnene / vernünftige / weise Entscheidung treffen 2. in den sauren Apfel beißen = etw. Unangenehmes tun oder hinnehmen, für das es keine andere Möglichkeit gibt 3. jdn. mit offenen Armen empfangen = jdn. gern / mit großer Freude willkommen heißen 4. mit einem blauen Auge davonkommen = eine gefährliche / auch: problematische Situation ohne großen Schaden überstehen 5. jdm. goldene Berge versprechen = jdn. mit übergroßen / falschen Ver-sprechungen locken 6. (wie ein Blitz) aus heiterem Himmel = unerwartet / ganz plötzlich 7. jdm. gol-dene Brücken bauen = jdm. hilfreiche Vorschläge machen 8. etw. geht nicht mit rechten Dingen zu = etw. Unerklärliches / auch: Verdächtiges geschieht 9. dunkle Geschäfte = unrechtmäßige / betrügerische Käufe oder Verkäufe 10. jdn./etw. wie ein rohes Ei behandeln = jdn./etw. mit größter Vorsicht behan-deln 11. die erste Geige spielen = die wichtigste Position einnehmen 12. (jdm.) etw. mit gleicher Münze heimzahlen = Gleiches mit Gleichem vergelten / sich in gleicher Weise rächen 13. etw. an die große Glocke hängen = etw. Vertrauliches überall herumerzählen 14. sich keine grauen Haare wachsen lassen = sich keine Sorgen machen 15. auf keinen grünen Zweig kommen = sich erfolglos bemühen

Übung 17:   1. Er ist ein rotes Tuch für mich. (= Ich werde wütend, wenn ich ihn sehe.) 2. vor seiner eigenen (Haus-)Tür kehren (= die eigenen Fehler erkennen) 3. sauer verdientes Geld (= mit harter Arbeit ver-dient) 4. alles in rosigem Licht sehen (= etw. viel zu positiv sehen) 5. am gleichen Strang ziehen (= das gleiche Ziel verfolgen) 6. auf taube Ohren stoßen (= mit seiner Meinung / Bitte bei anderen nicht an-kommen) 7. reinen Tisch machen (= eine Lage klären / etw. in Ordnung bringen) 8. leeres Stroh dre-schen (= viel Belangloses / Unwichtiges sagen) 9. mit offenen Augen ins Unglück rennen (= sehend / erkennend ins Unglück laufen) 10. etw. beim richtigen Namen nennen (= die Wahrheit über etw. sagen) 11. aus dem letzten Loch pfeifen (= völlig am Ende sein) 12. Er ist mit dem falschen / linken Bein zu-erst aufgestanden. (= schlecht gelaunt sein) 13. auf glühenden Kohlen sitzen (= dringend auf etw. war-ten)

14. jemandem reinen Wein einschenken (= jdm. die Wahrheit sagen) 15. im siebten Himmel sein (= sehr glücklich sein) 16. freie Hand haben (= das Recht auf selbstständige Entscheidung haben) 17. nur mit einem halben Ohr zuhören (= nicht richtig zuhören)

Übung 18 a): Raubbau an der Umwelt

In den tropischen Regenwäldern nördlich und südlich des Äquators hat in den letzten Jahrzehnten eine ökologische Katastrophe begonnen. Die dortigen Staaten brauchten wegen ihrer stark zunehmenden Bevölkerung für viele Millionen Menschen neue Landwirtschaftsgebiete und es war verständlich, dass die bisher fast unbewohnten Urwälder dafür nutzbar gemacht werden sollten. Auf Flächen von vielen tausend Quadratkilometern wurden sämtliche uralten Bäume abgeholzt oder abgebrannt. Die neuen Siedler, meist arme Menschen aus den unteren Bevölkerungsschichten, begannen mit ihrer schweren Arbeit. Im ersten Jahr bekamen sie reiche Ernten, das zweite Jahr brachte nur noch geringe Erträge und im darauffolgenden Jahr wuchs auf dem Boden, der mit so großer Mühe bearbeitet worden war, fast nichts mehr. Der schöne Plan der Regierungen war ein schwerer Fehler! Erst jetzt begann man mit geologischen Untersuchungen des Urwaldbodens und musste feststellen, dass er aus lockerem, trockenem Sand besteht! Die Frage ist nun, wie solche riesigen Bäume auf diesem sandigen Boden überhaupt wachsen konnten. Nach den neuesten wissenschaftlichen Erkenntnissen geschieht das so: In dem feuchten und heißen Klima vermodern herabfallende Blätter und Äste sehr schnell und bilden ausreichenden Dünger für die Bäume, deren weit ausgebreitete Wurzeln flach unter dem Sandboden liegen. Nach der Abholzung war aber im weiten Umkreis von vielen Kilometern kein einziger Baum stehen geblieben, sodass die tägliche Sonnenhitze und schwere Regenfälle den schutzlosen Boden zerstören konnten. Nachdem die Siedler nach Ablauf des dritten Jahres ihr unfruchtbares Land wieder verlassen hatten, blieb nichts zurück als eine tote Wüste.

Übung 18 b): Ein Fehlschlag

Eine kalifornische Filmgesellschaft wollte einen spannenden Goldgräberfilm drehen, der zum großen Teil in den Wäldern des nördlichen Kanada spielen sollte. Man hätte natürlich das winterliche Goldgräberdorf in den Filmstudios nachbauen können und dann die nachgemachten Holzhäuser und die krummen Straßen mit weißem, glitzerndem Salz bestreuen können, aber der Regisseur wünschte echten Schnee, wirkliche Kälte und natürliches Licht; deshalb brachte man alles Notwendige in mehreren schweren Lastwagen in ein einsames Dorf an der kanadischen Grenze. Etwas Besseres hätten sich die Schauspieler nicht vorstellen können, denn es bedeutete für sie einige herrliche Tage in den ruhigen Wäldern Kanadas. Dort war noch kein richtiger Schnee gefallen und die Schauspieler faulenzten in der warmen Oktobersonne, angelten in den nahen Seen und genossen ihre freie Zeit. Nach drei langen Wochen verlor die Filmgesellschaft endlich die Geduld, denn jeder nutzlose Tag kostete eine Menge harter Dollars; so ließ sie zwanzig große Lastwagen voll von teurem Salz nach Kanada kommen, was wieder einiges gute Geld kostete. Das Salz wurde von kanadischen Sportfliegern über das ganze Dorf verstreut, das schließlich aussah wie im tiefen Winter. In der nächsten Nacht begann es zu schneien, am frühen Morgen lag in den schwarzen Wäldern ringsum dicker Schnee, nur in dem Goldgräberdorf war nichts anderes zu sehen als hässlicher brauner Matsch.

§ 40

Übung 1 a): 1. Da haben Sie recht, er könnte deutlicher sprechen. 2. Das stimmt, er könnte rücksichtsvoller sein. 3. Ja, wirklich, er könnte breiter sein. 4. Da bin ich ganz Ihrer Meinung, er könnte höflicher sein. 5. Das stimmt, sie könnten heller sein. 6. Ja, das stimmt, sie könnte besser sein. 7. Da haben Sie recht, sie könnten billiger sein. 8. Ja, wirklich, sie könnte näher sein.

Übung 1 b): 1. Dieser Saft ist aber nicht sehr frisch! – Stimmt, er könnte frischer sein. 2. Dieser Kaffee ist aber nicht sehr stark! – Stimmt er könnte stärker sein. 3. Diese Brötchen sind aber nicht sehr knusprig! – Stimmt, sie könnten knuspriger sein. 4. Diese Suppe ist aber nicht sehr warm! – Stimmt, sie könnte wärmer sein. 5. Dieser Reis ist aber nicht sehr weich! – Stimmt, er könnte weicher sein. 6. Dieses Bier ist aber nicht sehr kalt! – Stimmt, es könnte kälter sein. 7. Diese Apfelsine ist aber nicht sehr süß! – Stimmt, sie könnte süßer sein. 8. Diese Äpfel sind aber nicht sehr saftig! – Stimmt, sie könnten saftiger sein.

Übung 1 c):   1. Ist dir die Jacke nicht warm genug? – (Na ja,) sie könnte wärmer sein. 2. Ist dir die Einkaufstasche nicht groß genug? – Sie könnte größer sein. 3. Ist dir der Mantel nicht leicht genug? – Er könnte leichter sein. 4. Ist dir das Kleid nicht modern genug? – Es könnte moderner sein. 5. Ist dir der Anzug nicht modisch genug? – Er könnte modischer sein. 6. Sind dir die Socken nicht weich genug? – Sie könnten weicher sein. 7. Ist dir die Wolle nicht fein genug? – Sie könnte feiner sein. 8. Ist dir der Rock nicht kurz genug? – Er könnte kürzer sein. 9. Ist dir die Hose nicht lang genug? – Sie könnte länger sein. 10. Ist dir der Gürtel nicht breit genug? – Er könnte breiter sein.

Übung 2:   1. Er trinkt lieber Wein als Bier. Aber Sekt trinkt er am liebsten. 2. Seine Cousinen stehen ihm näher als seine Tante. Aber seine Geschwister stehen ihm am nächsten. 3. Zigaretten sind billiger als Zigarren. Aber einfacher Tabak ist am billigsten. 4. Ein Skorpionstich ist gefährlicher als ein Wespenstich. Aber ein Schlangenbiss ist am gefährlichsten. 5. Mein Schäferhund ist besser erzogen als euer Dackel. Aber der Jagdhund des Nachbarn ist am besten erzogen. 6. Gold ist edler als Silber. Aber Platin ist am edelsten. 7. Im Zug reist man schneller als im Bus. Aber im Flugzeug reist man am schnellsten. 8. In der Sahara ist es heißer als in Israel. Aber am Äquator ist es am heißesten. 9. In Grönland ist es kälter als in Schweden. Aber im Nordosten von Russland ist es am kältesten. 10. Enten werden fetter als Hühner. Aber Gänse werden am fettesten.

Übung 3:   1. Haben Sie keinen besseren? – Nein, es tut mir leid, das ist der beste, den wir haben. 2. Haben Sie keine weitere? – Nein, leider, das ist die weiteste, die … 3. Haben Sie keine kleinere? – Ich bedaure, aber das ist die kleinste, die … 4. Haben Sie kein festeres? – Nein, das ist das festeste, das … 5. Haben Sie keine stabileren? – Nein, das sind die stabilsten, die … 6. Haben Sie keine leichteren? – Nein, leider, das sind die leichtesten, die … 7. Haben Sie keinen wärmeren? – Nein, es tut mir leid, das ist der wärmste, den … 8. Haben Sie keinen billigeren? – Nein, das ist der billigste, den … 9. Haben Sie keinen bequemeren? – Nein, leider, das ist der bequemste, den … 10. Haben Sie keinen preiswerteren? – Nein, das ist der preiswerteste, den …

Übung 4:   Herr Neureich ist mit nichts zufrieden:
Er möchte 1. hellere Lampen. 2. elegantere Möbel. 3. höhere Zimmer. 4. einen breiteren Schrank 5. einen edleren Orientteppich. 6. einen flacheren Fernseher.

Übung 5:   Auf dem Flohmarkt findet man 1. die elegantesten Vasen. 2. die merkwürdigsten Bilder. 3. die ältesten Spielsachen. 4. die wertvollsten Gläser. 5. die verrücktesten Bierkrüge. 6. die teuersten Möbel. 7. die hübschesten Bilderrahmen. 8. die altmodischsten Stehlampen.

Übung 6:   1. Es gibt aber noch andere empfindliche Organe in unserem Körper. – Das Herz ist eines der empfindlichsten Organe in unserem Körper. 2. Es gibt aber noch andere große Dichter des Altertums. – Homer war einer der größten Dichter des Altertums. 3. Es gibt aber noch andere kostbare Gefäße in diesem Museum. – Diese chinesische Vase ist eines der kostbarsten Gefäße in diesem Museum. 4. Es gibt aber noch andere nützliche Erfindungen seit 200 Jahren. – Das Fahrrad ist eine der nützlichsten Erfindungen seit 200 Jahren. 5. Es gibt aber noch andere gefährliche Viren. – Das Grippevirus ist wahrscheinlich eines der gefährlichsten Viren. 6. Es gibt aber noch andere schnelle Züge in Frankreich. – Der Zug von Paris nach Marseille ist einer der schnellsten Züge in Frankreich. 7. Es gibt aber noch andere bekannte Experten für afrikanische Literaturgeschichte. – Als wir den Professor kennenlernten, wussten wir nicht, dass er einer der bekanntesten Experten für afrikanische Literaturgeschichte ist. 8. Es gibt aber noch andere gute Filme in dieser Saison. – Der französische Regisseur hat einen der besten Filme in dieser Saison gedreht. 9. Es gab aber noch andere tolle Partys in diesem Winter, an denen wir teilgenommen haben. – Wir haben an einer der tollsten Partys in diesem Winter teilgenommen. 10. Es gibt aber noch andere teure Personenkraftwagen. – Der Rolls-Royce ist einer der teuersten Personenkraftwagen. 11. Es gibt aber noch andere schöne Häuser im Viertel. – Seit der Renovierung gilt unser Haus als eines der schönsten Häuser im Viertel. 12. Es gibt aber noch andere einflussreiche Männer in dieser Stadt. – Wissen Sie, dass Sie mit einem der einflussreichsten Männer in dieser Stadt gesprochen haben?

§ 41

Übung 1: 1. Ein Abgeordneter / Eine Abgeordnete ist jemand, der ein gewähltes Mitglied einer Volksvertretung ist. 2. Ein Arbeitsloser / Eine Arbeitslose ist jemand, der keine bezahlte Arbeit oder Stellung hat. 3. Ein Behinderter / Eine Behinderte ist jemand, der an einer körperlichen oder geistigen Beeinträchtigung leidet. 4. Ein Betrunkener / Eine Betrunkene ist jemand, der zu viel Alkohol getrunken hat. 5. Ein Deutscher / Eine Deutsche ist jemand, der die deutsche Staatsangehörigkeit besitzt. 6. Ein Verlobter / Eine Verlobte ist jemand, der einem anderen ein Eheversprechen gegeben hat. 7. Ein Taubstummer / Eine Taubstumme ist jemand, der nicht hören und nicht sprechen kann. 8. Ein Vorsitzender / Eine Vorsitzende ist jemand, der eine Vereinigung oder eine Beratung leitet. 9. Ein Fremder / Eine Fremde ist jemand, der den Menschen seiner Umgebung unbekannt ist. 10. Ein Vorgesetzter / Eine Vorgesetzte ist jemand, der einem anderen übergeordnet ist und ihm Anweisungen geben darf.

Übung 2: 1. Der/Die Verlobte ist ein Mensch, der verlobt ist. 2. Der/Die Verheiratete ist ein Mensch, der verheiratet ist. 3. Der/Die Verletzte ist ein Mensch, der verletzt ist. 4. Der/Die Verstorbene ist ein Mensch, der verstorben ist. 5. Der/Die Gelehrte ist ein Mensch, der gelehrt ist. 6. Der/Die Gefangene ist ein Mensch, der gefangen ist. 7. Der/Die Betrogene ist ein Mensch, der betrogen worden ist. 8. Der/Die Verwandte ist ein Mensch, der (mit einer anderen Person in der Familie) verwandt ist. 9. Der/Die Angestellte ist ein Mensch, der (bei einer Firma / Behörde) angestellt ist. 10. Der/Die Angeklagte ist ein Mensch, der (vor Gericht) angeklagt ist.

Übung 3: 1. Verlobte sind Menschen, die verlobt sind. 2. Verheiratete sind Menschen, die verheiratet sind. 3. Verletzte sind Menschen, die verletzt sind. 4. Verstorbene sind Menschen, die verstorben sind. 5. Gelehrte sind Menschen, die gelehrt sind. 6. Gefangene sind Menschen, die gefangen sind. 7. Betrogene sind Menschen, die betrogen worden sind. 8. Verwandte sind Menschen, die (mit einer anderen Person in der Familie) verwandt sind. 9. Angestellte sind Menschen, die (bei einer Firma / Behörde) angestellt sind. 10. Angeklagte sind Menschen, die (vor Gericht) angeklagt sind.

Übung 4: Verliebt, verlobt, verheiratet
Sabine und Klaus kannten sich schon als Heranwachsende, hatten sich dann aber nach der Schulzeit aus den Augen verloren. Sabine ging als Auszubildende in eine andere Stadt und wurde Sachverständige für Lebensmittelkontrolle. Klaus wurde Angestellter und arbeitete als Assistent für einen Landtagsabgeordneten. Der Abgeordnete war Vorsitzender eines Ausschusses, der sich besonders für die Belange von Behinderten einsetzte. Als Sabine Klaus zufällig auf einer Party wiedertraf, war er kein Fremder für sie, denn sie waren ja alte Bekannte. Als ein Betrunkener Rotwein über Sabines Lieblingskleid schüttete, hat Klaus sie so nett getröstet, dass sie sich sofort in ihn verliebte, und auch bei Klaus funkte es. Von da an machten die zwei Verliebten alles gemeinsam und bald schon waren sie Verlobte. Die Leidtragenden waren ihre anderen Freunde, die die beiden fast nicht mehr zu Gesicht bekamen. Zu ihrer Hochzeit luden sie viele Verwandte und Freunde ein. Bei der Trauung nahm der Pfarrer alle Anwesenden zu Zeugen für die Eheschließung. Gleich am nächsten Tag gingen die beiden Frischverheirateten auf Hochzeitsreise und alle „Überlebenden" der Hochzeitsfeier begleiteten die beiden Reisenden zum Flughafen.

Übung 5: Wer irrt sich?
Ein betrunkener Jugendlicher war auf der Autobahn als sogenannter Geisterfahrer in der falschen Richtung unterwegs. Dabei rammte er beinahe einen Bus. Die Reisenden kamen mit dem Schrecken davon. Übermütig lachend fuhr der Betrunkene weiter und kurvte tollkühn durch den Strom der Entgegenkommenden. Aus dem Autoradio klang dem Leichtsinnigen eine Verkehrswarnung in die Ohren: „Erhöhte Vorsicht für alle auf der Autobahn zwischen Köln und Aachen Fahrenden. Auf dieser Strecke gibt es einen Geisterfahrer." „Wieso," sagte der Jugendliche erstaunt zu sich selbst, „einen Geisterfahrer? Das sind doch Hunderte!"

§ 42

Übung 1:   1. die vorherigen Nachrichten 2. das morgige Wetter 3. die hiesige Stadtverwaltung 4. der dortige Beamte 5. die heutige Jugend 6. die obigen Zeilen 7. die jetzigen Erkenntnisse 8. die bisherigen Versuche

Übung 2:   Eine Wanderung

Wir sind diesen Weg <u>oftmals</u> (= viele Male; allgemeine temporale Aussage) gegangen. Dennoch habe ich <u>vorsichtshalber</u> (= weil ich vorsichtig sein wollte) eine Wanderkarte mitgenommen. <u>Normalerweise</u> (= das ist normal) braucht man von hier bis zum Dorf ungefähr eine Stunde, aber wegen des Schnees wird unsere Wanderung <u>verständlicherweise</u> (= das ist verständlich) länger dauern. Doch selbst wenn wir nur halb so schnell vorankommen, sind wir <u>schlimmstenfalls</u> (= wenn es schlimm kommt) nur eine Stunde später zurück. Ich habe <u>dummerweise</u> (= es war dumm von mir) mein Handy vergessen, sonst könnte ich das Hotel anrufen und sagen, dass wir <u>bestenfalls</u> (= wenn der beste Fall eintritt) erst um zwei Uhr da sein können. <u>Glücklicherweise</u> (= es ist ein Glück für uns) kriegen wir auch um diese Zeit noch ein warmes Mittagessen.

Übung 3:   1. Das ist ein erstaunlich großes Hochhaus. 2. Das ist eine unglaublich hohe Miete. 3. Das ist ein allgemein bekannter Schauspieler. 4. Das ist ein rot lackiertes Auto. 5. Das ist ein gut erzogenes Kind. 6. Das ist ein gründlich renoviertes Haus. 7. Das ist eine mühsam erreichte Einigung. 8. Das ist eine fehlerhaft konstruierte Maschine. 9. Das sind erfolgreich beendete Verhandlungen. 10. Das ist ein prächtig geschmückter Weihnachtsbaum.

§ 43

Übung: 1. Der Warteraum meines Hausarztes ist fast <u>einem</u> Wohnzimmer vergleichbar. 2. Diese etwas familiäre Atmosphäre ist <u>mir</u> sehr sympathisch. 3. Die Wartezeit war <u>mir</u> ganz recht, so konnte ich einen interessanten Artikel in einer medizinischen Zeitschrift lesen. 4. Das darin beschriebene Krankheitsbild ist <u>meinem</u> ähnlich. 5. Zwar ist <u>mir</u> der Arzt nicht fremd, aber einige seiner Fragen waren <u>mir</u> doch peinlich. 6. Nach der Untersuchung sagte er ernst: „Zu viel Stress ist <u>Ihrer</u> Gesundheit abträglich." 7. Dass er das nicht genauer erklärt, sieht <u>ihm</u> ähnlich. 8. Es scheint <u>ihm</u> gar nicht bewusst zu sein, dass das seine Patienten beunruhigt. 9. „Trotzdem solltest du <u>seinen</u> Empfehlungen entsprechend leben", meint meine Frau. 10. Mein Gesundheitszustand ist <u>ihr</u> nicht gleichgültig. 11. Sie achtet streng auf meine Diät, obwohl <u>ihr</u> und <u>mir</u> salzlose Kost verhasst ist. 12. Ich bin <u>ihr</u> für ihre Fürsorge sehr dankbar.

§ 44

Übung: 1. Der Bauer ist sehr zufrieden <u>mit</u> seiner Ernte und erfreut <u>über</u> den Preis für sein Getreide. 2. Der arme Kerl ist ganz verrückt <u>nach</u> meiner Schwester, aber sie ist <u>an</u> ihm leider überhaupt nicht interessiert. Sie hat schon seit Längerem einen festen Freund. <u>Über</u> ihre Gleichgültigkeit ist er recht bekümmert und <u>auf</u> den Freund natürlich furchtbar eifersüchtig. 3. Der Landtagsabgeordnete ist <u>bei</u> seinen Wählern sehr angesehen, denn er ist bekannt <u>für</u> seine Aufrichtigkeit. Er ist freundlich <u>zu</u> jedermann und verständnisvoll <u>gegenüber</u> den Anliegen der Bürger. 4. Viele Menschen sind beunruhigt <u>über</u> die weltpolitische Entwicklung. Sie sind entsetzt <u>über</u> die kriegerischen Auseinandersetzungen und überzeugt <u>von</u> der Notwendigkeit, den Frieden zu bewahren. 5. Mein Bruder war schon als Teenager <u>in</u> deine Schwester verliebt. Ich bin sehr froh und glücklich <u>darüber</u>, dass die beiden jetzt heiraten wollen, und stolz <u>darauf</u>, dass ich ihr Trauzeuge sein soll. Meine Eltern waren ihr <u>gegenüber</u> am Anfang noch etwas voreingenommen, aber sie wird schon fertig <u>mit</u> ihnen, <u>davon</u> bin ich überzeugt. 6. Meine Freundin ist <u>an</u> Tuberkulose erkrankt. Als sie das erfuhr, wurde sie blass <u>vor</u> Schreck. Jetzt ist sie in einer Klinik, die <u>für</u> ihre Heilerfolge bekannt ist. Sie ist ganz begeistert <u>von</u> der freundlichen Atmosphäre dort. Der Chefarzt ist beliebt <u>bei</u> dem Personal und den Patienten.

7. Ständig hat der Junge den Kopf voll <u>von</u> dummen Gedanken! Er ist besessen <u>von</u> schweren Motorrädern, begeistert <u>von</u> Motorradrennen und fähig <u>zu</u> den verrücktesten Wettfahrten. Aber leider ist er nicht sehr interessiert <u>an</u> seiner Arbeit. 8. Jetzt ist er beleidigt, weil du ihm mal die Meinung gesagt hast. Er wurde ganz rot <u>vor</u> Zorn und jetzt ist er böse <u>auf</u> dich. Aber es war notwendig, dass du ihm das mal gesagt hast. Du kannst also ganz frei <u>von</u> Schuldgefühlen sein.

§ 45

Übung 1: Eine Frau staunt über ihren fleißigen Mann:
Ich wollte 1. die Teller abspülen, aber sie waren schon abgespült. 2. das Geschirr wegräumen, aber es war schon weggeräumt. 3. die Schuhe putzen, aber sie waren schon geputzt. 4. die Betten machen, aber sie waren schon gemacht. 5. die Hemden bügeln, aber sie waren schon gebügelt. 6. die Kleider zur Reinigung bringen, aber sie waren schon zur Reinigung gebracht. 7. die Teppiche saugen, aber sie waren schon gesaugt. 8. die Blumen gießen, aber sie waren schon gegossen. 9. die Treppe wischen, aber sie war schon gewischt. 10. das Abendessen zubereiten, aber es war schon zubereitet.

Übung 2: Vor der Reise
Vergiss bitte nicht 1. die Fahrkarten zu kaufen! – Die sind schon (längst) gekauft. 2. die Zeitung abzubestellen! – Die ist schon abbestellt. 3. die Koffer zu packen! – Die sind schon (längst) gepackt. 4. die Heizung abzustellen! – Die ist schon abgestellt. 5. die Sicherungen auszuschalten! – Die sind schon ausgeschaltet. 6. die Nachbarn zu informieren! – Die sind schon informiert. 7. ein Taxi zu rufen! – Das ist schon gerufen. 8. die Schlüssel beim Nachbarn abzugeben! – Die sind schon abgegeben. 9. das Gepäck hinauszutragen! – Das ist schon hinausgetragen.

Übung 3: In der Arztpraxis
Haben Sie schon 1. die Überweisung an einen Orthopäden ausgestellt? – Ja, die ist schon ausgestellt. 2. das Gewicht festgestellt? – Ja, das ist schon festgestellt. 3. das Rezept ausgedruckt. – Ja, das ist schon ausgedruckt. 4. die Wunde gereinigt? – Ja, die ist schon gereinigt. 5. einen Verband angelegt? – Ja, der ist schon angelegt. 6. ein Schmerzmittel gespritzt? – Ja, das ist schon gespritzt. 7. den gebrochenen Finger geröntgt? – Ja, der ist schon geröntgt. 8. die Einweisung in die Klinik ausgeschrieben? – Ja, die ist schon ausgeschrieben. 9. den Krankentransport bestellt? – Ja, der ist schon bestellt.

§ 46

Übung 1: Was es in Kriminalromanen alles gibt:
Da gibt es 1. eine Bank ausraubende Gangster. 2. wehrlos auf dem Boden liegende Geiseln. 3. ihre Flucht planende Verhaftete. 4. durch einen Luftschacht aus der Haftanstalt ausbrechende Häftlinge. 5. überall nach den Verbrechern suchende Detektive. 6. den Spuren der Gangster folgende Spürhunde. 7. über die Dächer der Häuser fliehende Ausbrecher. 8. einen Kleintransporter stehlende Entflohene. 9. das Fluchtauto jagende Hubschrauber. 10. rücksichtslos rote Ampeln überfahrende Verfolgte. 11. den Räubern eine Falle stellende Kommissare. 12. verbittert in ihre Zellen zurückkehrende Übeltäter.

Übung 2: Was in einem Heimatmuseum alles zu finden ist:
1. eine aus einem einzigen Stein herausgearbeitete drei Meter hohe Figur 2. ein aus einem Brunnen geborgener Schatz von Silbermünzen 3. eine bei einem Brand aus dem Kirchturm gestürzte fünf Tonnen schwere Glocke 4. eine von dem Begründer der Stadt vor etwa 800 Jahren mitgebrachte Bibel 5. eine der Stadt von einem reichen Kunstfreund geschenkte wertvolle Porzellansammlung 6. im neunzehnten Jahrhundert zur Herstellung von Textilien verwendete Geräte und Maschinen 7. ein von einem Bürger der Stadt 1909 erfundener origineller Telegraphenapparat 8. eine aus 100 000 Streichhölzern gefertigte genaue Nachbildung des alten Rathauses 9. ein vor etwa 500 Jahren hergestelltes eisernes Wagenrad

Übung 3:   1. Die aus langjährigen Wetterbeobachtungen gewonnenen Erkenntnisse reichen nicht aus, um sichere Vorhersagen für die nächsten Wochen zu machen. 2. Im Gegensatz zu dem südlich der Alpen vorherrschenden sonnigen und trockenen Klima ist es nördlich der Alpen relativ niederschlagsreich. 3. In den vom deutschen Wetterdienst ausgegebenen Vorhersagen hieß es in diesem Sommer meistens: unbeständig und für die Jahreszeit zu kühl. 4. Ein von der Küste Südenglands nach Südosten ziehendes Tiefdruckgebiet wird morgen Norddeutschland erreichen. 5. Die am 24. August 2007 in der Nähe von Magdeburg registrierte Niederschlagsmenge betrug fast 40 Liter pro Quadratmeter innerhalb von nur einer Stunde. 6. Dagegen gab es in Spanien eine über fünf Wochen mit Höchsttemperaturen von 30 bis 40 Grad anhaltende Schönwetterperiode. 7. Die allgemeine Wetterlage dieses Sommers zeigte von Süden nach Norden um 25 Grad voneinander abweichende Temperaturen.

Übung 4:   Eine Verkettung unglücklicher Umstände
1. Über die Kosten des Schadens, der durch die Beschädigung einer Gasleitung entstanden ist, können noch keine genaueren Angaben gemacht werden. 2. Der Baggerführer, der bei seiner Firma wegen seiner Sorgfalt und Vorsicht bekannt ist, streifte bei Ausgrabungsarbeiten eine Gasleitung, die in den offiziellen Plänen nicht eingezeichnet ist. 3. Das Gas, das sofort ausgeströmt war / ausströmte, entzündete sich an einer Zigarette, die von einem Fußgänger weggeworfen worden war und (die) noch brannte. 4. Bei der Explosion wurden drei Autos, die in der Nähe standen, von herumfliegenden Steinen und Erdbrocken getroffen. 5. Die Feuerwehr, die telefonisch herbeigerufen worden war / wurde, kümmerte sich aber nicht um die Autos, die beschädigt worden waren, sondern darum, die Zuschauer, die von allen Seiten zum Unglücksort gelaufen waren / liefen, zurückzuhalten.

Übung 5:   Der Löwe von San Francisco
1. Im Zoo von San Francisco lebte ein mit beiden Augen in verschiedene Richtungen schielender Löwe. 2. Er bot einen derart zum Lachen reizenden Anblick, dass es nicht lange dauerte, bis er entdeckt und zu einem beim Fernsehpublikum in ganz Amerika beliebten Star gemacht wurde. 3. Der von Dompteuren und Tierpflegern für seine Auftritte vorbereitete Löwe stellte sich allerdings so dumm an, dass man ihm nur leichtere, sein Fassungsvermögen nicht überschreitende Aufgaben zumuten konnte. 4. Das schien aber dem in den unglaublich komischen Augenfehler des Löwen verliebten Publikum nichts auszumachen. 5. Damit die Sendung nicht langweilig wurde, engagierte man kleinere um ihre Existenz kämpfende Zirkusunternehmen. 6. Sie nahmen natürlich die sich ihnen bietende Gelegenheit dankbar an. 7. Aber alle ihre mühevoll eingeübten Darbietungen wurden von dem Publikum glatt übersehen. 8. Auch die am Morgen nach der Sendung erschienenen Kritiken erwähnten nur beiläufig die bis heute unbekannt gebliebenen Akrobaten und Clowns.

§ 47

Übung 1:   1. Von Fotografen umringt, bahnte sich der Umweltminister den Weg zum Rednerpult. 2. Unbeeindruckt von den Blitzlichtern der Kameraleute, begann er seinen Vortrag. 3. Auf eine Statistik der UNO hinweisend, begründete der Redner die Notwendigkeit strengerer Gesetze zum Klimaschutz. 4. Von interessierten Zuhörern befragt, gab der Minister noch weitere Auskünfte. 5. Lebhaft diskutierend, verließen die Besucher den Saal. 6. Von zahlreichen Pressevertretern umlagert, beantwortete der Redner abschließende Fragen.

Übung 2:   1. Der Umweltminister bahnte sich, von Fotografen umringt, den Weg zum Rednerpult. 2. Er begann, von den Blitzlichtern der Kameraleute unbeeindruckt, seinen Vortrag. 3. Der Redner begründete, auf eine Statistik der UNO hinweisend, die Notwendigkeit strengerer Gesetze zum Klimaschutz. 4. Der Minister gab, von interessierten Zuhörern befragt, noch weitere Auskünfte. 5. Die Besucher verließen, lebhaft diskutierend, den Saal. 6. Der Redner beantwortete, von zahlreichen Pressevertretern umlagert, abschließende Fragen.

Übung 3:   1. Tausende Tonnen von Schnee in Bewegung bringend, richten Lawinen jährlich Schäden in Millionenhöhe an. / Lawinen richten, Tausende Tonnen von Schnee in Bewegung bringend, jährlich Schäden in Millionenhöhe an.

2. Meist durch Erwärmung hervorgerufen, entstehen Lawinen oft um die Mittagszeit. / Lawinen entstehen, meist durch Erwärmung hervorgerufen, oft um die Mittagszeit. 3. Mit großer Gewalt vom Berg ins Tal rasend, begraben Lawinen alles unter sich. / Lawinen begraben, mit großer Gewalt vom Berg ins Tal rasend, alles unter sich. 4. Speziell für diese Aufgabe ausgebildet, haben Suchhunde schon viele von Lawinen verschüttete Menschen gefunden. / Suchhunde haben, speziell für diese Aufgabe ausgebildet, schon viele von Lawinen verschüttete Menschen gefunden. 5. Vom Wetterdienst vor der Lawinengefahr gewarnt, müssen die Bewohner mancher Bergdörfer ihre Häuser verlassen. / Die Bewohner mancher Bergdörfer müssen, vor der Lawinengefahr gewarnt, ihre Häuser verlassen. 6. Sehr beunruhigt, kehrten viele Skitouristen in ihre Hotels zurück. / Viele Skitouristen kehrten, sehr beunruhigt, in ihre Hotels zurück.

Übung 4: 1. Nachdem die unzureichenden Vorschläge der Arbeitgeber zurückgewiesen worden waren, rief die Gewerkschaft zum Streik auf. 2. Um für höhere Löhne zu kämpfen, organisierten die Arbeiter eine Demonstration. 3. Als sie mit roten T-Shirts und Transparenten ausgerüstet waren, zogen die Demonstranten ins Stadtzentrum. 4. Weil sie von Polizisten begleitet wurden, erreichten sie ohne Zwischenfälle das Rathaus. 5. Weil sie durch den Beifall vieler Bürger unterstützt wurden, glaubten die Arbeiter, schon gewonnen zu haben.

§ 48

Übung 1: Vorschriften
1. Der Sportler hat auf sein Gewicht zu achten. Er hat viel zu trainieren. Er hat gesund zu leben und auf manchen Genuss zu verzichten. 2. Der Nachtwächter hat in der Nacht seinen Bezirk abzugehen. Er hat die Türen zu kontrollieren. Unverschlossene Türen sind zuzuschließen. Besondere Vorkommnisse sind sofort zu melden. 3. Auf internationalen Flughäfen haben Reisende auf Verlangen der Zollbeamten ihre Koffer zu öffnen. Das Gepäck verdächtiger Personen ist auf Drogen, Waffen oder sonstige verbotene Gegenstände zu durchsuchen. 4. Der Autofahrer hat die Verkehrsregeln zu kennen und zu beachten. Er hat in den Ortschaften die vorgeschriebene Geschwindigkeit einzuhalten. Er hat Rücksicht auf die anderen Verkehrsteilnehmer zu nehmen. Der Polizei, der Feuerwehr und dem Krankenwagen ist auf jeden Fall Vorfahrt zu gewähren. Er hat seinen Führerschein immer mitzuführen.

Übung 2: Ich meine: 1. Kann man den Schreibtischstuhl in der Höhe verstellen? – Ja, der Schreibtischstuhl ist in der Höhe zu verstellen. 2. Kann man diesen Waldweg auch mit Lastwagen befahren? – Ja, dieser Waldweg ist auch mit Lastwagen zu befahren. 3. Kann man diese Schrankwand vollständig in ihre Teile zerlegen? – Ja, diese Schrankwand ist vollständig in ihre Teile zu zerlegen. 4. Kann man die Uhr noch reparieren? – Ja, die Uhr ist noch zu reparieren. 5. Kann man diese Batterien noch gebrauchen? – Ja, diese Batterien sind noch zu gebrauchen. 6. Kann man diese Hose mit 60 Grad waschen? – Ja, diese Hose ist mit 60 Grad zu waschen. 7. Kann man diesen DVD-Player leicht programmieren? – Ja, dieser DVD-Player ist leicht zu programmieren. 8. Kann man diese Gläser auch für heiße Getränke verwenden? – Ja, diese Gläser sind auch für heiße Getränke zu verwenden.

Übung 3: 1. Natürlich, Energie ist mithilfe von Sonne und Wind zu erzeugen. – Ja, dass sich Energie mithilfe von Sonne und Wind erzeugen lässt, ist mir bekannt. 2. Natürlich, Motoren sind mit Pflanzenöl zu betreiben. – Ja, dass sich Motoren mit Pflanzenöl betreiben lassen, ist mir bekannt. 3. Natürlich, Häuser sind fast ausschließlich mit Sonnenwärme zu beheizen. – Ja, dass sich Häuser fast ausschließlich mit Sonnenwärme beheizen lassen, ist mir bekannt. 4. Natürlich, durch den Einsatz von Energiesparlampen ist viel Strom zu sparen. – Ja, dass sich durch den Einsatz von Energiesparlampen viel Strom sparen lässt, ist mir bekannt. 5. Natürlich, aus Müll ist Heizgas zu gewinnen. – Ja, dass sich aus Müll Heizgas gewinnen lässt, ist mir bekannt. 6. Natürlich, durch den Kauf von Mehrwegflaschen ist viel Abfall zu vermeiden. – Ja, dass sich durch den Kauf von Mehrwegflaschen viel Abfall vermeiden lässt, ist mir bekannt. 7. Natürlich, für eine Solaranlage sind staatliche Zuschüsse zu bekommen. – Ja, dass sich für eine Solaranlage staatliche Zuschüsse bekommen lassen, ist mir bekannt. 8. Natürlich, der Benzinverbrauch ist durch langsameres Fahren zu verringern. – Ja, dass sich der Benzinverbrauch durch langsameres Fahren verringern lässt, ist mir bekannt.

Übung 4:   1. Nein, das Ziel kann von uns innerhalb der Frist nicht erreicht werden. – So ist es, das Ziel ist (von uns) innerhalb der Frist nicht zu erreichen. / Sie haben recht, das Ziel lässt sich (von uns) innerhalb der Frist nicht erreichen. / Stimmt, das Ziel ist (von uns) innerhalb der Frist nicht erreichbar. 2. Nein, die Folgen können nicht vorhergesehen werden. – So ist es, die Folgen sind nicht vorherzusehen. / Sie haben recht, die Folgen lassen sich nicht vorhersehen. / Stimmt, die Folgen sind nicht vorhersehbar. 3. Nein, die Bevölkerungszahl der Erde kann nicht genau festgestellt werden. – So ist es, die Bevölkerungszahl der Erde ist nicht genau festzustellen. / Sie haben recht, die Bevölkerungszahl der Erde lässt sich nicht genau feststellen. / Stimmt, die Bevölkerungszahl der Erde ist nicht genau feststellbar. 4. Nein, der Schaden im Kühlsystem des Raumfahrzeugs konnte nicht behoben werden. – So ist es, der Schaden im Kühlsystem des Raumfahrzeugs war nicht zu beheben. / Sie haben recht, der Schaden im Kühlsystem des Raumfahrzeugs ließ sich nicht beheben. / Stimmt, der Schaden im Kühlsystem des Raumfahrzeugs war nicht behebbar. 5. Nein, das treibende Boot konnte bei dem dichten Nebel nicht erkannt werden. – So ist es, das treibende Boot war bei dem dichten Nebel nicht zu erkennen. / Sie haben recht, das treibende Boot ließ sich bei dem dichten Nebel nicht erkennen. / Stimmt, das treibende Boot war bei dem dichten Nebel nicht erkennbar. 6. Nein, das gestohlene Geld konnte nicht aufgefunden werden. – So ist es, das gestohlene Geld war nicht aufzufinden. / Sie haben recht, das gestohlene Geld ließ sich nicht auffinden. / Stimmt, das gestohlene Geld war nicht auffindbar.

§ 49

Übung 1:   1. Vorschriften, die man befolgen muss, sind zu befolgende Vorschriften. 2. Eine Krankheit die leicht geheilt werden kann, ist eine leicht zu heilende Krankheit. 3. Ein Auftrag, der sofort erledigt werden muss, ist ein sofort zu erledigender Auftrag. 4. Seine Bemühungen, die man anerkennen muss, sind seine anzuerkennenden Bemühungen. 5. Eine negative Entwicklung, die befürchtet werden muss, ist eine zu befürchtende negative Entwicklung. 6. Eine Besserung der wirtschaftlichen Lage, die man erwarten kann, ist eine zu erwartende Besserung der wirtschaftlichen Lage. 7. Ein gesellschaftlicher Wandel, den man bereits beobachten kann, ist ein bereits zu beobachtender gesellschaftlicher Wandel. 8. Ein Schaden, der vom Unfallverursacher bezahlt werden muss, ist ein vom Unfallverursacher zu bezahlender Schaden. 9. Eine Entscheidung, die man nicht akzeptieren kann, ist eine nicht zu akzeptierende Entscheidung. 10. Wissenschaftliche Erkenntnisse, die im Labor nachgeprüft werden müssen, sind nachzuprüfende wissenschaftliche Erkenntnisse.

Übung 2:   1. Aufgrund der Erhöhung des Meeresspiegels, a) die in den nächsten Jahren erwartet werden muss, sollten an der Küste die Deiche erhöht werden. b) die in den nächsten Jahren zu erwarten ist, sollten ... c) Aufgrund der in den nächsten Jahren zu erwartenden Erhöhung des Meeresspiegels sollten an der Küste die Deiche erhöht werden.
2. Immer wieder werden die gleichen ökologischen Fehler gemacht, a) die nach den neuesten Erkenntnissen vermieden werden können. b) die zu vermeiden sind. c) Immer wieder werden die gleichen, nach neuesten Erkenntnissen zu vermeidenden ökologischen Fehler gemacht.
3. Tatsachen, a) die nicht geändert werden können, sollte man einfach akzeptieren. b) die nicht zu ändern sind, sollte man ... c) Nicht zu ändernde Tatsachen sollte man einfach akzeptieren.
4. Unkomplizierte Steuererklärungen, a) die leicht bearbeitet werden können, werden von den Finanzbeamten bevorzugt. b) die leicht zu bearbeiten sind, werden ... c) Leicht zu bearbeitende, unkomplizierte Steuererklärungen werden von den Finanzbeamten bevorzugt.
5. Wissenschaftliche Ergebnisse, a) die nur unter Laborbedingungen gewonnen werden können, sind trotzdem wertvoll. b) die nur unter Laborbedingungen zu gewinnen sind, sind ... c) Nur unter Laborbedingungen zu gewinnende wissenschaftliche Ergebnisse sind trotzdem wertvoll.
6. Mediziner müssen sich ständig mit neuen Grippeviren beschäftigen, a) die nur sehr schwer bestimmt werden können. b) die nur sehr schwer zu bestimmen sind. c) Mediziner müssen sich ständig mit neuen, schwer zu bestimmenden Grippeviren beschäftigen.

Übung 3:   1. Wenn Ölquellen in Brand geraten, können ökologische Schäden entstehen, a) die kaum jemals wiedergutgemacht werden können. b) die kaum jemals wiedergutzumachen sind. c) die sich nicht wiedergutmachen lassen.

2. Rotwein- und Obstflecken auf Kleidungsstücken sind Verschmutzungen, a) die nur schwer entfernt werden können. b) die nur schwer zu entfernen sind. c) die sich nur schwer entfernen lassen.
3. In vielen Ländern ist die Korruption ein Problem, a) das kaum gelöst werden kann. b) das kaum zu lösen ist. c) das sich kaum lösen lässt.
4. Experimente, a) die von unabhängigen Wissenschaftlern nicht wiederholt werden können, b) die von unabhängigen Wissenschaftlern nicht zu wiederholen sind, c) die sich von unabhängigen Wissenschaftlern nicht wiederholen lassen, haben nur einen beschränkten wissenschaftlichen Wert.
5. Aufgrund von Aussagen eines Zeugen, a) die nicht bestritten werden konnten, b) die nicht zu bestreiten waren, c) die sich nicht bestreiten ließen, wurde der Angeklagte freigesprochen.
6. Wegen eines Fehlers eines Chirurgen, a) der nicht restlos aufgeklärt werden konnte, b) der nicht restlos aufzuklären war, c) der sich nicht restlos aufklären ließ, litt der Patient jahrelang an Rückenschmerzen.
7. Die eindeutigen Ergebnisse des Chemikers, a) die leicht nachvollzogen werden konnten, b) die leicht nachzuvollziehen waren, c) die sich leicht nachvollziehen ließen, überzeugten auch seine Kollegen.

§ 50

Übung: 1. Mit Eckermann, seinem Sekretär, führte Goethe zahlreiche lange Gespräche. 2. In „Die Leiden des jungen Werthers", einem Roman in Briefen, verarbeitet Goethe eine enttäuschte Liebe. 3. Der Buchdruck mit beweglichen Lettern, eine der größten Erfindungen des letzten Jahrtausends, wurde von Johannes Gutenberg erfunden. 4. Deutsch, eine der germanischen Sprachgruppe zugehörige Sprache, ist eine von 23 Arbeitssprachen der EU. 5. „Alles Leben ist Leiden" ist eine Behauptung Arthur Schopenhauers, eines bekannten deutschen Philosophen des 19. Jahrhunderts. 6. Robert Koch, dem Begründer der bakteriologischen Forschung, wurde 1905 der Nobelpreis verliehen. 7. Der Dieselmotor, ein nach seinem Erfinder Rudolf Diesel benannter Verbrennungsmotor, setzte sich erst nach dem Tod des Erfinders in aller Welt durch. 8. Am 28. Februar 1925 begrub man den erst 54-jährigen Friedrich Ebert, den ersten Präsidenten der Weimarer Republik. 9. Die Tier- und Pflanzenbilder Albrecht Dürers, des berühmten Nürnberger Malers und Grafikers, zeichnen sich durch sehr genaue Detailarbeit aus. 10. Am Dienstag, dem 1. Januar 2002, wurde der Euro als Zahlungsmittel in Deutschland eingeführt.

§ 51

Übung: 1. a) *Auch er* hat mich belogen. (zusammen mit anderen / obwohl er sonst immer die Wahrheit sagt)
b) Er hat mich *auch* belogen. (Er hat mich ebenso wie andere Menschen belogen.)
2. a) Diese Frau habe ich vor dem Geschäft *nicht* gesehen. (Ich habe die Frau nicht wahrgenommen.)
b) *Nicht diese Frau* habe ich vor dem Geschäft gesehen. (Ich habe eine andere Frau vor dem Geschäft gesehen.)
3. a) *Selbst unser Lehrer* hat die Relativitätstheorie Einsteins nicht verstanden. (Sogar unser Lehrer hat die Relativitätstheorie Einsteins nicht verstanden.) b) Unser Lehrer hat die Relativitätstheorie Einsteins *selbst* nicht verstanden. (Unser Lehrer sollte uns die Relativitätstheorie Einsteins erläutern, aber er hat sie auch nicht verstanden.)
4. a) Wegen des steilen Aufstiegs sind feste Bergschuhe *besonders* wichtig. (Feste Bergschuhe sind die Voraussetzung für den steilen Aufstieg.) b) *Besonders feste Bergschuhe* sind für die Wanderung wichtig. (Es müssen sehr feste Bergschuhe sein.)
5. a) Wir haben den Zug *gerade* noch im letzten Augenblick erreicht. (unmittelbar vor Abfahrt des Zuges) b) *Gerade du* als Lehrer solltest dafür sorgen, dass die Kinder Spaß am Lernen haben. (vor allem du als Lehrer)
6. a) *Nur Experten* können die Lage beurteilen. (Laien / andere Leute können es nicht.) b) Die Experten können die Lage *nur* dann beurteilen, wenn alle Faktoren bekannt sind. (Fehlen Fakten, können sie die Lage nicht beurteilen.)

7. a) Der dänische Botschafter in Tokio spricht fließend Japanisch; er ist *sogar* Experte für japanische Kunst. (Er kennt sich auch außerordentlich gut auf dem Gebiet der japanischen Kunst aus.) b) *Sogar japanische Kunstkenner* sind erstaunt über sein Wissen. (Selbst japanische Kunstkenner sind erstaunt.) 8. a) *Schon unser erstes Wiedersehen* war ein großes Glück für mich. (Bereits unsere erste erneute Begegnung war ein großes Glück.) b) Das wollte ich dir *schon* immer sagen. (Ich wollte es dir schon seit Langem sagen.)

§ 53

Übung 1:

1. rechnen – *Gegenwart:* ich rechnete, du rechnetest, er/sie/es rechnete, wir rechneten, ihr rechnetet, sie/Sie rechneten; *Vergangenheit:* ich hätte gerechnet, du hättest gerechnet, er/sie/es hätte gerechnet, wir hätten gerechnet, ihr hättet gerechnet, sie/Sie hätten gerechnet

2. arbeiten – *Gegenwart:* ich arbeitete, du arbeitetest, er/sie/es arbeitete, wir arbeiteten, ihr arbeitetet, sie/Sie arbeiteten; *Vergangenheit:* ich hätte gearbeitet, du hättest gearbeitet, er/sie/es hätte gearbeitet, wir hätten gearbeitet, ihr hättet gearbeitet, sie/Sie hätten gearbeitet

3. abreisen – *Gegenwart:* ich reiste ab, du reistest ab, er/sie/es reiste ab, wir reisten ab, ihr reistet ab, sie/Sie reisten ab; *Vergangenheit:* ich wäre abgereist, du wär(e)st abgereist, er/sie/es wäre abgereist, wir wären abgereist, ihr wär(e)t abgereist, sie/Sie wären abgereist

4. sollen – *Gegenwart:* ich sollte, du solltest, er/sie/es sollte, wir sollten, ihr solltet, sie/Sie sollten; *Vergangenheit:* ich hätte gesollt, du hättest gesollt, er/sie/es hätte gesollt, wir hätten gesollt, ihr hättet gesollt, sie/Sie hätten gesollt

5. ausschalten – *Gegenwart:* ich schaltete aus, du schaltetest aus, er/sie/es schaltete aus, wir schalteten aus, ihr schaltetet aus, sie/Sie schalteten aus; *Vergangenheit:* ich hätte ausgeschaltet, du hättest ausgeschaltet, er/sie/es hätte ausgeschaltet, wir hätten ausgeschaltet, ihr hättet ausgeschaltet, sie/Sie hätten ausgeschaltet

6. telefonieren – *Gegenwart:* ich telefonierte, du telefoniertest, er/sie/es telefonierte, wir telefonierten, ihr telefoniertet, sie/Sie telefonierten; *Vergangenheit:* ich hätte telefoniert, du hättest telefoniert, er/sie/es hätte telefoniert, wir hätten telefoniert, ihr hättet telefoniert, sie/Sie hätten telefoniert

7. lernen – *Gegenwart:* ich lernte, du lerntest, er/sie/es lernte, wir lernten, ihr lerntet, sie/Sie lernten; *Vergangenheit:* ich hätte gelernt, du hättest gelernt, er/sie/es hätte gelernt, wir hätten gelernt, ihr hättet gelernt, sie/Sie hätten gelernt

8. klettern – *Gegenwart:* ich kletterte, du klettertest, er/sie/es kletterte, wir kletterten, ihr klettertet, sie/Sie kletterten; *Vergangenheit:* ich wäre geklettert, du wär(e)st geklettert, er/sie/es wäre geklettert, wir wären geklettert, ihr wär(e)t geklettert, sie/Sie wären geklettert

Übung 2:

1. nehmen – *Gegenwart:* ich nähme, du nähmest, er/sie/es nähme, wir nähmen, ihr nähmet, sie/Sie nähmen; *Vergangenheit:* ich hätte genommen, du hättest genommen, er/sie/es hätte genommen, wir hätten genommen, ihr hättet genommen, sie/Sie hätten genommen

2. essen – *Gegenwart:* ich äße, du äßest, er/sie/es äße, wir äßen, ihr äßet, sie/Sie äßen; *Vergangenheit:* ich hätte gegessen, du hättest gegessen, er/sie/es hätte gegessen, wir hätten gegessen, ihr hättet gegessen, sie/Sie hätten gegessen

3. schlagen – *Gegenwart:* ich schlüge, du schlügest, er/sie/es schlüge, wir schlügen, ihr schlüget, sie/Sie schlügen; *Vergangenheit:* ich hätte geschlagen, du hättest geschlagen, er/sie/es hätte geschlagen, wir hätten geschlagen, ihr hättet geschlagen, sie/Sie hätten geschlagen

4. schließen – *Gegenwart:* ich schlösse, du schlössest, er/sie/es schlösse, wir schlössen, ihr schlösset, sie/Sie schlössen; *Vergangenheit:* ich hätte geschlossen, du hättest geschlossen, er/sie/es hätte geschlossen, wir hätten geschlossen, ihr hättet geschlossen, sie/Sie hätten geschlossen

5. fliegen – *Gegenwart:* ich flöge, du flögest, er/sie/es flöge, wir flögen, ihr flöget, sie/Sie flögen; *Vergangenheit:* ich wäre geflogen, du wär(e)st geflogen, er/sie/es wäre geflogen, wir wären geflogen, ihr wär(e)t geflogen, sie/Sie wären geflogen

6. abfahren – *Gegenwart:* ich führe ab, du führest ab, er/sie/es führe ab, wir führen ab, ihr führet ab, sie/Sie führen ab; *Vergangenheit:* ich wäre abgefahren, du wär(e)st abgefahren, er/sie/es wäre abgefahren, wir wären abgefahren, ihr wär(e)t abgefahren, sie/Sie wären abgefahren

7. frieren – *Gegenwart:* ich fröre, du frörest, er/sie/es fröre, wir frören, ihr fröret, sie/Sie frören; *Vergangenheit:* ich hätte gefroren, du hättest gefroren, er/sie/es hätte gefroren, wir hätten gefroren, ihr hättet gefroren, sie/Sie hätten gefroren

8. erfahren – *Gegenwart:* ich erführe, du erführest, er/sie/es erführe, wir erführen, ihr erführet, sie/Sie erführen; *Vergangenheit:* ich hätte erfahren, du hättest erfahren, er/sie/es hätte erfahren, wir hätten erfahren, ihr hättet erfahren, sie/Sie hätten erfahren

9. rufen – *Gegenwart:* ich riefe, du riefest, er/sie/es riefe, wir riefen, ihr riefet, sie/Sie riefen; *Vergangenheit:* ich hätte gerufen, du hättest gerufen, er/sie/es hätte gerufen, wir hätten gerufen, ihr hättet gerufen, sie/Sie hätten gerufen

10. weggehen – *Gegenwart:* ich ginge weg, du gingest weg, er/sie/es ginge weg, wir gingen weg, ihr ginget weg, sie/Sie gingen weg; *Vergangenheit:* ich wäre weggegangen, du wär(e)st weggegangen, er/sie/es wäre weggegangen, wir wären weggegangen, ihr wär(e)t weggegangen, sie/Sie wären weggegangen

Übung 3: 1. dürfen – *Gegenwart:* ich dürfte, du dürftest, er/sie/es dürfte, wir dürften, ihr dürftet, sie/Sie dürften; *Vergangenheit:* ich hätte gedurft, du hättest gedurft, er/sie/es hätte gedurft, wir hätten gedurft, ihr hättet gedurft, sie/Sie hätten gedurft

2. denken – *Gegenwart:* ich dächte, du dächtest, er/sie/es dächte, wir dächten, ihr dächtet, sie/Sie dächten; *Vergangenheit:* ich hätte gedacht, du hättest gedacht, er/sie/es hätte gedacht, wir hätten gedacht, ihr hättet gedacht, sie/Sie hätten gedacht

3. wissen – *Gegenwart:* ich wüsste, du wüsstest, er/sie/es wüsste, wir wüssten, ihr wüsstet, sie/Sie wüssten; *Vergangenheit:* ich hätte gewusst, du hättest gewusst, er/sie/es hätte gewusst, wir hätten gewusst, ihr hättet gewusst, sie/Sie hätten gewusst

4. verbringen – *Gegenwart:* ich verbrächte, du verbrächtest, er/sie/es verbrächte, wir verbrächten, ihr verbrächtet, sie/Sie verbrächten; *Vergangenheit:* ich hätte verbracht, du hättest verbracht, er/sie/es hätte verbracht, wir hätten verbracht, ihr hättet verbracht, sie/Sie hätten verbracht

5. absenden – *Gegenwart:* ich sendete ab, du sendetest ab, er/sie/es sendete ab, wir sendeten ab, ihr sendetet ab, sie/Sie sendeten ab; *Vergangenheit:* ich hätte abgesendet, du hättest abgesendet, er/sie/es hätte abgesendet, wir hätten abgesendet, ihr hättet abgesendet, sie/Sie hätten abgesendet

Übung 4: 1. du stündest, du hättest gestanden 2. es verdürbe, es wäre verdorben 3. sie widerstünden, sie hätten widerstanden 4. wir grüßten, wir hätten gegrüßt 5. sie würde verhaftet, sie wäre verhaftet worden 6. du erwidertest, du hättest erwidert 7. sie redeten, sie hätten geredet 8. er freute sich, er hätte sich gefreut 9. sie wollten reden, sie hätten reden wollen 10. ich könnte, ich hätte gekonnt 11. er schnitte, er hätte geschnitten 12. ihr lachtet, ihr hättet gelacht 13. er handelte, er hätte gehandelt 14. ich fasste zusammen, ich hätte zusammengefasst 15. du reistest ab, du wär(e)st abgereist 16. ich müsste abreisen, ich hätte abreisen müssen

§ 54

Übung 1 a): 1. Wenn es hier doch nicht so dunkel wäre! 2. Wenn ich nur nicht so allein wäre! 3. Wenn ich nicht solche Angst hätte! 4. Wenn die Busfahrer doch nicht schon wieder streikten / streiken würden! 5. Wenn ich meinen Zug bloß noch erreichte / erreichen würde! 6. Wenn ich nur endlich einmal rechtzeitig nach Hause käme! 7. Wenn die Taxis nur nicht alle vorbeiführen / vorbeifahren würden! 8. Wenn doch jemand anhielte! 9. Wenn mich doch einer mitnähme / mitnehmen würde!

Übung 1 b): 1. a) Wenn sie doch deutlicher spräche! b) Wenn sie doch nicht so undeutlich spräche! 2. a) Wenn die Fernsehsendung doch früher käme! b) Wenn die Fernsehsendung doch nicht so spät käme! 3. a) Wenn die Koffer doch leichter wären! b) Wenn die Koffer doch nicht so schwer wären! 4. a) Wenn ich doch mehr Geld verdiente! b) Wenn ich doch nicht so wenig Geld verdiente! 5. a) Wenn er das Radio doch leiser stellte! b) Wenn er das Radio doch nicht so laut stellte! 6. a) Wenn die Kosten doch geringer wären! b) Wenn die Kosten doch nicht so hoch wären!

Übung 2: 1.Wenn du mir doch nur gesagt hättest, dass du verreisen willst! 2. Wenn ich doch nur gewusst hätte, dass du nach Spanien fahren willst! 3. Wenn ich doch nur Zeit gehabt hätte, Spanisch zu lernen! 4. Wenn mir doch nur jemand mitgeteilt hätte, was du vorhast! 5. Wenn ich doch nur genug Geld gespart hätte, um mitzufahren!

Übung 3: **a)** 1. Wäre es hier doch nicht so dunkel! 2. Wäre ich nur nicht so allein! 3. Hätte ich bloß nicht solche Angst! 4. Streikten die Busfahrer doch nicht schon wieder! / Würden die Busfahrer doch nicht schon wieder streiken! 5. Erreichte ich meinen Zug bloß noch! / Würde ich meinen Zug bloß noch erreichen! 6. Käme ich nur endlich einmal rechtzeitig nach Hause! 7. Führen die Taxis nur nicht alle vorbei! / Würden die Taxis nur nicht alle vorbeifahren! 8. Hielte doch jemand an! / Würde doch jemand anhalten! 7. Nähme mich doch einer mit! / Würde mich doch einer mitnehmen!

b) 1. Hättest du mir doch nur gesagt, dass du verreisen willst! 2. Hätte ich doch nur gewusst, dass du nach Spanien fahren willst! 3. Hätte ich doch nur Zeit gehabt, Spanisch zu lernen! 4. Hätte mir doch nur jemand mitgeteilt, was du vorhast! 5. Hätte ich doch nur genug Geld gespart, um mitzufahren!

Übung 4: 1. Wenn ich doch nur nicht von einem Anlageservice angerufen worden wäre! / Wäre ich doch nur nicht von einem Anlageservice angerufen worden! 2. Wenn ich doch nur gewusst hätte, dass das keine Dienstleistung der Sparkasse war! / Hätte ich doch nur gewusst, dass ...! 3. Wenn ich doch nur nicht zugestimmt hätte, dass mich ein Anlageberater in meiner Wohnung besuchte! / Hätte ich doch nur nicht zugestimmt, dass ...! 4. Wenn ich ihm doch nur nicht geglaubt hätte, als er versprach, mein Geld in kurzer Zeit zu verdoppeln! / Hätte ich ihm doch nur nicht geglaubt, als er versprach, ...! 5. Wenn ich doch nur keinen Vertrag unterschrieben hätte! / Hätte ich doch nur keinen Vertrag unterschrieben! 6. Wenn ich doch nur nicht den größten Teil meiner Ersparnisse auf das angegebene Konto überwiesen hätte! / Hätte ich doch nur nicht den größten Teil meiner Ersparnisse auf das angegebene Konto überwiesen! 7. Wenn ich doch nur geahnt hätte, dass ich auf diese Weise bestohlen werden sollte! / Hätte ich doch nur geahnt, dass ...! 8. Wenn ich doch nur nicht so lange gewartet hätte, ehe ich mich bei der Sparkasse nach meinem neuen Anlagekonto erkundigte! / Hätte ich doch nur nicht so lange gewartet, ehe ...! 9. Wenn ich doch nur nicht hätte erfahren müssen, dass ein solches Konto auf meinen Namen nicht existiert! / Hätte ich doch nur nicht erfahren müssen, dass ...! 10. Wenn das Konto, auf das ich mein Geld überwiesen hatte, doch nur nicht schon aufgelöst worden wäre! / Wäre das Konto, auf das ich mein Geld überwiesen hatte, doch nur nicht schon aufgelöst worden! 11. Wenn ich doch nur nicht so leichtfertig gewesen wäre, auf einen raffinierten Betrug hereinzufallen! / Wäre ich doch nur nicht so leichtfertig gewesen, auf einen raffinierten Betrug hereinzufallen! 12. Wenn die Ermittlungen der Polizei doch nur Erfolg gehabt hätten! / Hätten die Ermittlungen der Polizei doch nur Erfolg gehabt!

Übung 5: Es wäre besser, 1. wenn er sich um ein Praktikum bemühte / bemühen würde. 2. wenn er wüsste, was er nach seinem Studium machen soll. 3. wenn er nicht jeden Tag Saxofon spielte / spielen würde, anstatt sich an den Schreibtisch zu setzen. 4. wenn er nicht die halbe Nacht mit seiner Band musizierte / musizieren würde. 5. wenn er nicht jeden Tag bis mittags schliefe / schlafen würde. 6. wenn er seine Vorlesungen regelmäßig besuchte / besuchen würde. 7. wenn er nicht nur an seine Musik dächte / denken würde.

Übung 6: Es wäre besser gewesen, 1. wenn er sich um ein Praktikum bemüht hätte. 2. wenn er gewusst hätte, was er nach seinem Studium machen soll. 3. wenn er nicht jeden Tag Saxofon gespielt hätte, anstatt sich an den Schreibtisch zu setzen. 4. wenn er nicht die halbe Nacht mit seiner Band musiziert hätte. 5. wenn er nicht jeden Tag bis mittags geschlafen hätte. 6. wenn er seine Vorlesungen regelmäßig besucht hätte. 7. wenn er nicht nur an seine Musik gedacht hätte.

Übung 7: **a)** Es wäre besser, 1. er bemühte sich um ein Praktikum / er würde sich um ein Praktikum bemühen. 2. er wüsste, was er nach seinem Studium machen soll. 3. er spielte nicht jeden Tag Saxofon / er würde nicht jeden Tag Saxofon spielen, anstatt sich an den Schreibtisch zu setzen. 4. er musizierte nicht die halbe Nacht mit seiner Band / er würde nicht die halbe Nacht mit seiner Band musizieren. 5. er schliefe nicht jeden Tag bis mittags / er würde nicht jeden Tag bis mittags schlafen. 6. er besuchte seine Vorlesungen regelmäßig / er würde seine Vorlesungen regelmäßig besuchen. 7. er dächte nicht nur an seine Musik / er würde nicht nur an seine Musik denken.

b) Es wäre besser gewesen, 1. er hätte sich um ein Praktikum bemüht. 2. er hätte gewusst, was er nach seinem Studium machen soll. 3. er hätte nicht jeden Tag Saxofon gespielt, anstatt sich an den Schreibtisch zu setzen. 4. er hätte nicht die halbe Nacht mit seiner Band musiziert. 5. er hätte nicht jeden Tag bis mittags geschlafen. 6. er hätte seine Vorlesungen regelmäßig besucht. 7. er hätte nicht nur an seine Musik gedacht.

Übung 8: 1. Wenn der Fahrgast einen Fahrschein gehabt hätte / Hätte der Fahrgast einen Fahrschein gehabt, hätte er nicht 40 Euro Strafe zahlen müssen. 2. Wenn ich die Lautsprecherdurchsage auf dem Bahnsteig richtig verstanden hätte / Hätte ich die Lautsprecherdurchsage auf dem Bahnsteig richtig verstanden, wäre ich nicht in den falschen Zug gestiegen. 3. Wenn sich die beiden Drähte berührt hätten / Hätten sich die beiden Drähte berührt, hätte es einen Kurzschluss gegeben. 4. Wenn es genügend Studienplätze gäbe / Gäbe es genügend Studienplätze, könnten alle Bewerber studieren / würden alle Bewerber studieren können. 5. Wenn ich für die Ziele der Demonstranten wäre / Wäre ich für die Ziele der Demonstranten, ginge ich zu dieser Demonstration / würde ich zu dieser Demonstration gehen. 6. Wenn du nicht so viel Schokolade gegessen hättest / Hättest du nicht so viel Schokolade gegessen, wäre dir nicht schlecht geworden. 7. Wenn der Apotheker eine Alarmanlage installiert hätte / Hätte der Apotheker eine Alarmanlage installiert, hätten die Diebe nicht unbemerkt einbrechen und Medikamente stehlen können. 8. Wenn er nicht in eine andere Stadt gezogen wäre / Wäre er nicht in eine andere Stadt gezogen, wäre er seiner zukünftigen Frau nicht begegnet.

Übung 9: Lösungsbeispiele: 1. Wenn ich meine Brieftasche mit allen Papieren verloren hätte, ginge ich zur Polizei / würde ich zur Polizei gehen. 2. Wenn meine Wohnung plötzlich gekündigt würde, gäbe ich eine Wohnungsannonce auf / würde ich eine Wohnungsannonce aufgeben. 3. Wenn in meiner Nähe plötzlich jemand um Hilfe riefe, suchte ich als Erstes nach der Ursache / würde ich als Erstes nach der Ursache suchen. 4. Wenn ich von einer giftigen Schlange gebissen worden wäre, saugte ich die Wunde aus / würde ich die Wunde aussaugen. 5. Wenn ich im Kaufhaus ein kleines Kind nach seiner Mutter schreien hörte, ließe ich die Mutter ausrufen / würde ich die Mutter ausrufen lassen. 6. Wenn ich bei einem Versandhaus einen Anzug bestellt und ein Fahrrad erhalten hätte, reklamierte ich die Sendung / würde ich die Sendung reklamieren. 7. Wenn ich zufällig auf der Straße ein Flugticket nach New York und zurück fände, gäbe ich es im Fundbüro ab / würde ich es im Fundbüro abgeben.

Übung 10: 1. Er musste das Dach neu decken lassen, sonst / andernfalls wäre ihm das Regenwasser in die Wohnung gelaufen. 2. Gut, dass du endlich da bist, sonst / andernfalls wäre ich ohne dich losgefahren. 3. Die Forscher mussten den Versuch abbrechen, sonst / andernfalls hätte es eine Explosion gegeben. 4. Sie nahm ihren Studentenausweis mit, sonst / andernfalls hätte sie den normalen Fahrpreis bezahlen müssen. 5. Er konnte den Flughafen gerade noch erreichen, sonst / andernfalls hätte sein Chef allein nach New York fliegen müssen. 6. Meine Nachbarin kümmerte sich während meiner Abwesenheit um meine Pflanzen, sonst / andernfalls wären sie alle vertrocknet. 7. Es war schon spät, sonst / andernfalls wären wir bei dir vorbeigekommen. 8. Seine Eltern machten ihm Mut, sonst / andernfalls hätte er die Schule abgebrochen. 9. Sie räumte die Wohnung gründlich auf, sonst / andernfalls hätte sie sich nicht getraut, ihre Schwiegereltern einzuladen. 10. Wir haben erst gegen Mittag angerufen, sonst / andernfalls hätten wir dich geweckt.

Übung 11: 1. Könnten Sie widerstehen, wenn ich Ihnen so etwas anbieten würde? 2. Wäre es einfacher, wenn Ihnen jemand helfen würde? 3. Wären Sie stolz, wenn Ihnen so etwas Bedeutendes gelingen würde? 4. Müssten Sie sich nicht wehren, wenn man Ihnen so etwas vorwerfen würde? 5. Wären Sie zufrieden, wenn ich Ihnen 10 Prozent Rabatt geben würde? 6. Wären nicht alle Bauern froh, wenn der Getreidepreis steigen würde? 7. Wären Sie nicht zornig, wenn man Ihnen die Tür vor der Nase zuschlagen würde? 8. Hätte der Plan Chancen, wenn wir ihn noch einmal ins Gespräch bringen würden? 9. Groß wäre die Blamage, wenn die Polizei den Falschen festnehmen würde! 10. Welche Sicherheiten könnten Sie uns bieten, wenn wir Ihnen das Geld vorschießen würden?

Übung 12: Ein unverschämter Nachbar
1. Er setzt sich auf unsere Terrasse, als ob er da zu Hause wäre. 2. Er holt sich Bier aus unserem Kühlschrank, als ob er ein Recht dazu hätte. 3. Er kommt zu unserem Grillabend, als ob wir ihn eingeladen hätten.

4. Er trampelt quer durch unsere Blumenbeete, als ob er die gepflasterten Gartenwege nicht sähe.
5. Er pflückt unsere Rosen, als ob er nicht wüsste, wie sehr meine Frau sie liebt. 6. Er benutzt unsere Gartengeräte, als ob er keine eigenen hätte. 7. Bis in die Nacht hinein spielt er laute Musik, als ob er keine Ahnung hätte, dass unser Baby schlafen muss. 8. Wir nennen ihn unverschämt, aber er tut so, als ob es ihn nichts anginge.

Übung 13:   Ein unverschämter Nachbar
1. Er setzt sich auf unsere Terrasse, als wäre er da zu Hause. 2. Er holt sich Bier aus unserem Kühlschrank, als hätte er ein Recht dazu. 3. Er kommt zu unserem Grillabend, als hätten wir ihn eingeladen.
4. Er trampelt quer durch unsere Blumenbeete, als sähe er die gepflasterten Gartenwege nicht.
5. Er pflückt unsere Rosen, als wüsste er nicht, wie sehr meine Frau sie liebt. 6. Er benutzt unsere Gartengeräte, als hätte er keine eigenen. 7. Bis in die Nacht hinein spielt er laute Musik, als hätte er keine Ahnung, dass unser Baby schlafen muss. 8. Wir nennen ihn unverschämt, aber er tut so, als ginge es ihn nichts an.

Übung 14:   1. Der Redner sprach so laut, als verstünde ihn niemand. 2. Der Busfahrer fuhr so schnell, als würde er verfolgt. 3. Der Hotelgast gab so hohe Trinkgelder, als wäre er ein Millionär. 4. Er begrüßte mich so freundlich, als kennte er mich / als würde er mich kennen. 5. Der Schriftsteller wurde so begeistert gefeiert, als wäre er das größte Talent des Jahrhunderts. 6. Die Musik auf der CD war so klar, als säßen wir im Konzert / als würden wir im Konzert sitzen. 7. Der Hausherr briet so viel Fleisch, als erwartete er mehr als 20 Gäste / als würde er mehr als 20 Gäste erwarten. 8. Unser Chef spricht mit uns so, als wären wir Freunde.

Übung 15:   1. Er benahm sich so kindisch, als ob er ein kleiner Junge wäre. 2. Sie behandelt den Sohn ihres Mannes so liebevoll, als ob er ihr eigenes Kind wäre. 3. Sie sehen sich so ähnlich, als ob sie Zwillinge wären. 4. Er gibt so viel Geld aus, als ob er ein Millionär wäre. 5. Er fuhr durch die engen Straßen der Altstadt, als ob er ein Verrückter wäre. 6. Der Polizeipsychologe verhandelt mit dem Geiselnehmer, als ob er ein Patient wäre.

Übung 16:   1. Der Schwimmer ist mit 32 Jahren schon zu alt, als dass er noch Aussicht hätte, eine Medaille zu gewinnen. 2. Das Trekking im Himalaja ist zu gefährlich, als dass wir den Aufstieg ohne einen erfahrenen Bergführer wagen könnten. 3. Der Marathonlauf ist für viele Teilnehmer zu anstrengend, als dass sie die gesamte Strecke schaffen könnten. 4. Nach ihrem Sieg ist die Turnerin zu erschöpft, als dass sie ein Interview geben könnte. 5. Der Wind ist zu heftig, als dass das Skispringen stattfinden könnte. 6. Die Aufgabe eines Schiedsrichters ist zu schwierig, als dass sie jeder einfache Fußballspieler übernehmen könnte.

Übung 17:   1. Der Zug kam so verspätet an, dass wir ebenso gut hätten den nächsten nehmen können. 2. Der Stau auf der Autobahn war so lang, dass wir ebenso gut hätten den längeren Umweg fahren können.
3. Es dauerte so lange, bis unser Flug aufgerufen wurde, dass man das Ziel hätte ebenso gut bequem mit dem Auto erreichen können. 4. Die Schiffsreise von Hamburg zur Insel war so teuer, dass man ebenso gut hätte erster Klasse fliegen können. 5. Der Speisewagen im Zug war so voll, dass wir hätten stundenlang auf das Essen warten müssen. 6. Das Meerwasser am Badestrand in Italien war so kalt, dass wir hätten ebenso gut an die Nordsee fahren können. 7. Die Stewardessen waren so liebenswürdig gewesen, dass der Flug für manche Passagiere hätte noch länger dauern können.

Übung 18:   1. Der Arzt verschrieb dem Patienten Medikamente, ohne dass er ihn untersucht hätte. 2. In seiner Freizeit arbeitet er in einem Heim für Behinderte, ohne dass er Geld dafür verlangte / verlangen würde.
3. Ein ausländischer Konzern kaufte die Fabrik, ohne dass über den Preis verhandelt worden wäre.
4. Sie gehen auf eine Bergwanderung, ohne dass sie genügend dafür ausgerüstet wären. 5. Er wanderte nach Amerika aus, ohne dass er jemals wieder etwas von sich hätte hören lassen. 6. Der Industriebetrieb hat giftige Abwässer in den Fluss geleitet, ohne dass er dafür zur Verantwortung gezogen worden wäre.
7. Sie hat uns geholfen, ohne dass wir sie darum gebeten hätten. 8. Er verschenkte seine wertvolle Münzsammlung, ohne dass es ihm einen Augenblick leidgetan hätte.

Übung 19: 1. Nein, aber beinah(e) / fast hätte ich sie bestanden. / Nein, aber ich hätte sie beinah(e) / fast bestanden. 2. Nein, aber beinah(e) / fast wäre ich über ihn gestolpert. / Nein, aber ich wäre beinah(e) / fast über ihn gestolpert. 3. Nein, aber beinah(e) / fast hätten wir es gewonnen. / Nein, aber wir hätten es beinah(e) / fast gewonnen. 4. Nein, aber beinah(e) / fast wäre ich bei ihrem Anblick schwach geworden. / Nein, aber ich wäre beinah(e) / fast bei ihrem Anblick schwach geworden. 5. Nein, aber beinah(e) / fast wären wir informiert worden. / Nein, aber wir wären beinah(e) / fast informiert worden. 6. Nein, aber beinah(e) / fast wäre ich von ihm gebissen worden. / Nein, aber ich wäre beinah(e) / fast von ihm gebissen worden. 7. Nein, aber beinah(e) / fast wären wir zu spät gekommen. / Nein, aber wir wären beinah(e) / fast zu spät gekommen.

Übung 20: 1. Nein, er dürfte damals noch nicht in finanziellen Schwierigkeiten gewesen sein. 2. Ja, er könnte die Stabilität der Brücke falsch berechnet haben. 3. Nein, er dürfte erst nach 1 Uhr zu Hause gewesen sein. 4. Nein, er dürfte den Angeklagten am Tatort in der Dunkelheit nicht erkannt haben. 5. Ja, sie könnten wirklich gefälscht gewesen sein.

Übung 21: Nachbarn helfen einander
1. Könnten Sie bitte den tropfenden Wasserhahn reparieren? / Würden Sie so freundlich sein und den tropfenden Wasserhahn reparieren? 2. Würden Sie so nett sein, mir die Tür zu öffnen? / Dürfte ich Sie bitten, mir die Tür zu öffnen? 3. Dürfte ich Sie bitten, mir die Taschen hochzutragen? / Würden Sie so nett sein, mir die Taschen hochzutragen? 4. Würden Sie mir den Gefallen tun, während meiner Abwesenheit die Blumen zu gießen? / Würden Sie so nett sein, während meiner Abwesenheit die Blumen zu gießen? 5. Dürfte ich Sie bitten, meine Post aus dem Briefkasten zu holen? / Würden Sie mir den Gefallen tun und meine Post aus dem Briefkasten holen? 6. Dürfte ich Sie noch auf ein Gläschen hereinbitten? / Würden Sie mir den Gefallen tun und auf ein Gläschen hereinkommen?

Übung 22: 1. Ohne Antenne kannst du diesen Radiosender nicht empfangen, aber mit einer Antenne könntest du ihn gut hereinbekommen. 2. Auf dieser Strecke müssen alle Fahrzeuge langsam fahren, denn ohne diese Vorschrift könnte es viele Unfälle geben. 3. Leider ist unser Auto kaputt, sonst könnten wir heute ins Grüne fahren. 4. Ohne Licht darfst du abends nicht Rad fahren, sonst könnte dir ein Unglück passieren. 5. Du brauchst unbedingt eine Spülmaschine, denn damit könntest du viel Zeit sparen. 6. Mach dir einen genauen Zeitplan, sonst könntest du den Überblick verlieren. 7. Die Arbeiter müssen zurzeit Überstunden machen, andernfalls könnte die Firma die Liefertermine nicht einhalten.

§55

Übung 1a): (Bitte beachten: Nach dem Schrägstrich steht die alternative Form im Konjunktiv II.)
1. ich reise / reiste, du reisest, er reise, wir reisen / reisten, ihr reiset, sie reisen / reisten
2. ich ordne / ordnete, du ordnest / ordnetest, er ordne, wir ordnen / ordneten, ihr ordnetet, sie ordnen / ordneten
3. ich schicke / schickte, du schickest, er schicke, wir schicken / schickten, ihr schicket, sie schicken / schickten
4. ich fliege / flöge, du fliegest, er fliege, wir fliegen / flögen, ihr flieget, sie fliegen / flögen
5. ich falle / fiele, du fallest, er falle, wir fallen / fielen, ihr fallet, sie fallen / fielen
6. ich gebe / gäbe, du gebest, er gebe, wir geben / gäben, ihr gebet, sie geben / gäben
7. ich schneide / schnitte ab, du schneidest / schnittest ab, er schneide ab, wir schneiden / schnitten ab, ihr schneidet / schnittet ab, sie schneiden / schnitten ab
8. ich ärgere / ärgerte mich, du ärgerest dich, er ärgere sich, wir ärgern / ärgerten uns, ihr ärgeret euch, sie ärgern / ärgerten sich
9. ich beabsichtige / beabsichtigte, du beabsichtigest, er beabsichtige, wir beabsichtigen / beabsichtigten, ihr beabsichtiget, sie beabsichtigen / beabsichtigten
10. ich fahre / führe, du fahrest, er fahre, wir fahren / führen, ihr fahret, sie fahren / führen
11. ich friere / fröre, du frierest, er friere, wir frieren / frören, ihr frieret, sie frieren / frören
12. ich würde benachrichtigt, du werdest benachrichtigt, er werde benachrichtigt, wir würden benachrichtigt, ihr würdet benachrichtigt, sie würden benachrichtigt

Übung 1b):   (Bitte beachten: Nach dem Schrägstrich steht die alternative Form im Konjunktiv II.)
1. ich sei gereist, du sei(e)st gereist, er sei gereist, wir seien gereist, ihr seiet gereist, sie seien gereist
2. ich habe / hätte geordnet, du habest geordnet, er habe geordnet, wir haben / hätten geordnet, ihr habet geordnet, sie haben / hätten geordnet
3. ich habe / hätte geschickt, du habest geschickt, er habe geschickt, wir haben / hätten geschickt, ihr habet geschickt, sie haben / hätten geschickt
4. ich sei geflogen, du sei(e)st geflogen, er sei geflogen, wir seien geflogen, ihr seiet geflogen, sie seien geflogen
5. ich sei gefallen, du sei(e)st gefallen, er sei gefallen, wir seien gefallen, ihr seiet gefallen, sie seien gefallen
6. ich habe / hätte gegeben, du habest gegeben, er habe gegeben, wir haben / hätten gegeben, ihr habet gegeben, sie haben / hätten gegeben
7. ich habe / hätte abgeschnitten, du habest abgeschnitten, er habe abgeschnitten, wir haben / hätten abgeschnitten, ihr habet abgeschnitten, sie haben / hätten abgeschnitten
8. ich habe / hätte mich geärgert, du habest dich geärgert, er habe sich geärgert, wir haben / hätten uns geärgert, ihr habet euch geärgert, sie haben / hätten sich geärgert
9. ich habe / hätte beabsichtigt, du habest beabsichtigt, er habe beabsichtigt, wir haben / hätten beabsichtigt, ihr habet beabsichtigt, sie haben / hätten beabsichtigt
10. ich sei gefahren, du sei(e)st gefahren, er sei gefahren, wir seien gefahren, ihr seiet gefahren, sie seien gefahren
11. ich habe / hätte gefroren, du habest gefroren, er habe gefroren, wir haben / hätten gefroren, ihr habet gefroren, sie haben / hätten gefroren
12. ich sei benachrichtigt worden, du sei(e)st benachrichtigt worden, er sei benachrichtigt worden, wir seien benachrichtigt worden, ihr seiet benachrichtigt worden, sie seien benachrichtigt worden

Übung 2:   (Bitte beachten: Nach dem Schrägstrich steht die alternative Form im Konjunktiv II.)
1. ich stelle / stellte, er stelle, er habe gestellt 2. du bittest / bätest, er bitte, wir haben / hätten gebeten 3. wir telefonieren / telefonierten, ihr telefoniert, sie haben / hätten telefoniert 4. sie grüße, sie grüßen / grüßten, sie haben / hätten gegrüßt 5. ich würde eingeladen, du werdest eingeladen, du sei(e)st eingeladen worden 6. du werdest dich erkälten, sie werde sich erkälten, sie würden sich erkälten 7. ich gehe / ginge, du gehest, er sei gegangen 8. sie bete, sie beten / beteten, er habe gebetet 9. sie schneide, wir schneiden / schnitten, wir haben / hätten geschnitten 10. ich antworte / antwortete, er antworte, ihr antwortet / antwortetet 11. er werde gewogen, wir würden gewogen, ihr sei(e)t gewogen worden 12. sie werde sich erholt haben, ihr werdet / würdet euch erholt haben, sie würden sich erholt haben 13. du fahrest, ihr fahret, sie seien gefahren 14. ich rufe / riefe an, du rufest an, sie haben / hätten angerufen 15. du streitest / strittest, sie streite, ihr habet gestritten 16. er sterbe, sie sterben / stürben, sie seien gestorben 17. du werdest bestraft, er werde bestraft, sie sei bestraft worden

§ 56

Übung 1:   Die Zeitung berichtet, dass Teile Australiens eine extreme Trockenheit erlebten. Infolge des Regenmangels drohe in mehreren australischen Bundesstaaten eine Dürrekatastrophe. Neben den Farmern, die bereits ihre Ernten und Tierherden verloren hätten, spürten jetzt auch die Bewohner der Städte den Wassermangel besonders stark. Für sie gelte eine strenge Beschränkung des Wasserverbrauchs. Sie dürften ihre Gärten nur noch aus Gießkannen und Eimern bewässern. Auch die Autowäsche mittels Schlauch sei verboten. Die Geldstrafe, die auf Nichteinhaltung der Beschränkungen stehe, sei auf 1000 Dollar erhöht worden. Funkwagen machten Jagd auf Wasserverschwender. In einigen Gemeinden sei die Not schon so groß, dass das Wasser auf 60 Liter pro Kopf und Tag rationiert worden sei. Perioden großer Trockenheit habe es in Australien schon oft gegeben. Experten glaubten jedoch, dass man infolge des Klimawandels in Zukunft mit noch häufigeren Dürreperioden rechnen müsse.

Übung 2:   Der Arzt fragte den Patienten, wie lange er die Kopfschmerzen schon habe, ob die Schmerzen ständig da seien oder ob sie nur manchmal aufträten, ob die Schmerzen hinter den Augen lägen, ob er auch nachts Kopfschmerzen habe, ob er Tabletten nehme, was für Tabletten er bis jetzt genommen habe, ob

der Schmerz so stark sei, dass er es ohne Tabletten nicht aushalte, was für eine Arbeit er im Büro verrichte, wie lange er täglich vor dem Bildschirm sitzen müsse, ob er die Möglichkeit habe, seine Tätigkeit zu wechseln. –
Der Patient fragte den Arzt: „Wie oft soll ich die Tabletten nehmen? Kann ich in den nächsten Tagen meine Arbeit fortsetzen oder lässt durch die Medikamente meine Aufmerksamkeit empfindlich nach? Wie lange muss ich diese Mittel noch nehmen? Können sie mir wirklich helfen?"

Übung 3: Vor dem Empfang der Gäste ist die Hausfrau nervös.
1. Sie sagt zu ihrer Tochter, sie solle ihr den Tisch decken helfen. Dann solle sie die Rotweinflaschen aus der Küche holen und (solle) sie öffnen und danach solle sie gehen und sich umziehen.
2. Sie sagt zu ihrem Schwiegersohn, er solle nicht so dumm rumstehen und (solle) seiner Frau sagen, dass sie sich beeilen soll. Dann solle er ihr die Blumen aus der gelben Vase bringen.
3. Sie sagt zu ihrem Mann, er möge / solle das Fleisch aus dem Gefrierfach nehmen und möge / solle auch die Bratwürste auf den Grill legen. Er möge / solle vorsichtig sein und sich nicht wieder verbrennen.
4. Sie sagt zu ihrem Sohn, er möge / solle sich ansehen lassen und er solle seine Krawatte fester binden. Er solle sofort ein paar Aufnahmen machen, wenn die ersten Gäste kommen.
5. Sie sagt zu den Gästen, sie sollten sich alle hier aufstellen und lächeln.

Übung 4: Der Hahn und der Fuchs
Auf einem Baum saß ein alter Hahn. Ein Fuchs, der gerade vorbeikam, sah den Hahn und da er gerade Hunger hatte, sagte er, er (der Hahn) solle doch herunterkommen. Allgemeiner Friede sei unter den Tieren geschlossen worden. Er (der Hahn) solle herabkommen und ihn küssen, denn von heute ab seien sie Brüder. Der Hahn nannte den Fuchs einen lieben Freund und entgegnete, dass das eine wunderbare Nachricht sei. Dort sehe er auch zwei Hunde. Sie wollten ihnen sicher auch die Friedensnachricht bringen. Dann könnten sie sich alle vier küssen. Der Fuchs rief eilig, der Hahn solle entschuldigen, er habe noch einen weiten Weg. Das Friedensfest würden sie später feiern. Traurig, dass er seinen Hunger nicht stillen konnte, lief er davon. Der Hahn aber saß auf seinem Ast und lachte, es mache doch Spaß, einen Betrüger zu betrügen / dass es doch Spaß mache, einen Betrüger zu betrügen.
(Nach einer Fabel von La Fontaine, 1621–1695)

Übung 5: Tiere auch im Winter auf die Weide?
Tierärzte sind der Ansicht, dass, wenn Rinder, Schafe oder Pferde das ganze Jahr über auf der Weide blieben, dies das Beste für sie sei. Sie müssten aber im Herbst an niedrigere Temperaturen gewöhnt werden, damit sie natürliche Abwehrkräfte gegen die Kälte entwickelten. In den ersten kalten Oktobernächten bilde sich Fett unter der Haut und ein dichtes Winterfell wachse. Dadurch entstehe eine Wärmeisolation, sodass ihnen auch Temperaturen von minus 15 Grad nichts ausmachten. Die Bauern müssten ihnen im Winter immer genügend Futter und Wasser bringen. Auch ein Schutz vor eisigen Winden sei nötig. Dafür müssten Hecken oder Büsche angepflanzt werden, hinter denen die Tiere bei Stürmen und Eisregen Deckung fänden. Weil bei solcher Tierhaltung die Ställe nicht mehr beheizt werden müssten, könnten Landwirte sogar ihre Stromrechnungen reduzieren.

§ 58

Übung: 1. <u>Durch</u> Vermittlung eines befreundeten Autohändlers konnte ich einen alten Jaguar von 1969 <u>für</u> genau 9999 Euro erwerben. 2. Ich wusste, der Jaguar würde vor allem <u>für</u> meinen zwölfjährigen Sohn, der ein Autonarr ist, eine große Freude sein. 3. Der alte Wagen soll <u>bis</u> zu 200 km/h fahren können, aber <u>wider</u> Erwarten sagte mein Sohn: „Versuch das nicht, das schafft er nicht mehr." 4. Der Junge versteht <u>für</u> seine 12 Jahre schon erstaunlich viel von Autos. 5. <u>Gegen</u> ihn wusste ich in diesem Alter fast nichts davon. 6. Wir fuhren mit hoher Geschwindigkeit <u>über</u> die Landstraße und <u>ohne</u> die Warnung meines Sohnes wäre ich nach einer scharfen Kurve wahrscheinlich <u>gegen</u> ein Ortsschild gerast.
7. Ich habe also das Tempo <u>um</u> etwa die Hälfte zurückgenommen und wir sind <u>ohne</u> Probleme auch an den Radarfallen vorbeigekommen. 8. Wir sind dann gemütlich <u>durch</u> die Dörfer gefahren und hatten <u>bis</u> auf eine Vollbremsung wegen einiger erschrockener Hühner keinen Zwischenfall mehr.

§ 59

Übung 1: Ein neuer Tarifvertrag
1. <u>Seit</u> zwei Wochen verhandelt die Gewerkschaft schon <u>mit</u> den Arbeitgebern <u>über</u> einen neuen Tarif- vertrag. 2. <u>Nach</u> den Aussagen eines Pressesprechers hat man sich noch nicht geeinigt. 3. Deshalb hat die Gewerkschaft jetzt angekündigt, dass <u>ab</u> Donnerstag gestreikt wird. 4. <u>Außer</u> den Arbeitern wollen auch die Büroangestellten <u>aus</u> Solidarität streiken. 5. <u>Entgegen</u> anderslautenden Erklärungen will das Management einige Standorte in Deutschland schließen. 6. <u>Von</u> den Demonstrationen der Arbeiter be- richteten Presse, Rundfunk und Fernsehen. 7. Streikende Arbeiter zogen am Morgen <u>von</u> ihrer Fabrik am Stadtrand <u>zu</u> einer großen Kundgebung ins Zentrum der Stadt. 8. Dort wurden sie <u>von</u> vielen Sym- pathisanten aus der Bevölkerung empfangen. 9. Die Rede des Gewerkschaftsvorsitzenden wurde <u>von</u> vielen Arbeitnehmern kritisiert. 10. Die Gewerkschaft sei, so lautete der Vorwurf, <u>gegenüber</u> den Ar- beitgebern zu nachgiebig gewesen. 11. Denn die Arbeiter hätten schon <u>seit</u> über 10 Jahren nicht mehr gestreikt, aber nun sei „Schluss <u>mit</u> dem Arbeitsfrieden". 12. Es werde so lange gestreikt, bis sie <u>zu</u> einer Einigung kämen. Am wichtigsten sei dabei eine deutliche Lohnerhöhung, die <u>seit</u> langer Zeit nötig sei.

Übung 2: Kurzschluss
1. Am vergangenen Wochenende vernichtete ein Feuer einen Bauernhof <u>samt</u> Stall und Scheune.
2. <u>Dank</u> des schnellen Einsatzes der freiwilligen Feuerwehr konnte der Bauer wenigstens seine Maschi- nen und die Tiere retten. 3. Der Polizei <u>gegenüber</u> äußerte der Bauer den Verdacht der Brandstiftung.
4. <u>Mit</u> Hilfe <u>von</u> Fachleuten wurden die ausgebrannten Gebäude untersucht. 5. <u>Entgegen</u> der Vermutung des Bauern war ein Kurzschluss die Ursache des Brandes.

Übung 3: Im Tierschutzverein
1. <u>Gemäß</u> unserer Satzung sind Tierschutz und Tierpflege die wichtigsten Aufgaben unseres Vereins.
2. <u>Dank</u> zahlreicher Spenden konnten wir im vergangenen Jahr ein neues Tierheim bauen. 3. <u>Außer</u> Kat- zen und Hunden werden auch andere Haustiere aufgenommen. 4. <u>Entgegen</u> einer anderslautenden Pres- semitteilung ist unser Tierheim täglich <u>außer</u> sonntags <u>ab</u> 9 Uhr geöffnet.

§ 60

Übung 1: 1. Ich bin mit meinen Eltern __—__ 2007 nach Berlin gezogen. 2. <u>Im</u> Frühjahr 2008 habe ich dort mein Studium begonnen. 3. __—__ 2011 kann ich es hoffentlich abschließen. 4. <u>Am</u> 1. Juli beginnen die Semes- terferien. 5. <u>Im</u> August fahre ich nach Frankreich. 6. Meine Freunde erwarten mich <u>am</u> 2. August in Paris. 7. <u>Am</u> kommenden Wochenende besuchen wir das Schloss und den Park in Versailles. 8. Mit dem Auto sind wir <u>in</u> einer Stunde dort. 9. <u>Am</u> Sonntag machen wir einen Ausflug in die Umgebung. 10. <u>In</u> der Nacht zum Montag kommen wir zurück. 11. Zum Glück muss ich mein Referat erst <u>am</u> nächsten Montag halten.

Übung 2: 1. Noch nie hat sich die Welt so schnell verändert wie <u>in</u> den letzten zweihundertfünfzig Jahren. 2. <u>Im</u> Dezember 1782 ließen die Brüder Montgolfier den ersten Heißluftballon in die Luft steigen. 3. Es war noch eine Sensation, als __—__ 1909 Louis Blériot mit einem Flug von 37 Minuten den Ärmelkanal überquerte. 4. Nur sechzig Jahre später, <u>am</u> 21.7.1969 (3 Uhr 56 MEZ), landeten die ersten Menschen auf dem Mond. 5. <u>In</u> unseren Tagen kann man unbemannte Sonden sogar auf dem Mars landen lassen. 6. <u>Im</u> Jahr 1776 baute James Watt die erste einsatzfähige Dampfmaschine. 7. __—__ 1807 fuhr zum ers- ten Mal ein Dampfschiff 240 Kilometer den Hudson River (USA) hinauf. 8. <u>Im</u> gleichen Jahr wurde eine Straße im Londoner Stadtteil Westminster von Gaslaternen beleuchtet. 9. <u>Im</u> 21. Jahrhundert muss man endlich wieder lernen, Energie zu sparen. 10. <u>Am</u> 7.12.1835 fuhr die erste deutsche Dampfeisen- bahn von Nürnberg nach Fürth; <u>am</u> 31.12.1913 gab es in Deutschland schon ein Eisenbahnnetz von über 63 000 Kilometern. 11. Pellegrino Turri baute __—__ 1808 die wahrscheinlich erste Schreibma- schine; <u>in</u> der zweiten Hälfte des 20. Jahrhunderts hat der Computer die mechanischen Schreibgeräte fast vollständig verdrängt.

Übung 3: in einem Monat, in drei Tagen, an meinem Geburtstag, am Morgen, in 20 Sekunden, in der Nacht, am letzten Tag des Monats, am Jahresanfang

in der Neuzeit, im Jahr 1945, im Herbst, am Samstag, im Juli, in zwei Jahren, am Nachmittag

am dritten Tag, in wenigen Jahrzehnten, in der Zeit vom 1. bis 10. Oktober, in der Mittagszeit, in diesem Augenblick, am Feierabend

Übung 4: Morgendliches Chaos
1. Wo hängt denn jetzt schon wieder mein Badetuch? – Das hängt zum Trocknen über der Heizung. Du hängst dein Badetuch doch immer zum Trocknen über die Heizung. 2. Wo liegt denn jetzt schon wieder mein Handy? – Das liegt neben dem Computer. Du legst dein Handy doch immer neben den Computer. 3. Wo stehen denn jetzt schon wieder meine Sportschuhe? – Die stehen unter der Garderobe. Du stellst deine Sportschuhe doch immer unter die Garderobe. 4. Wo steckt denn jetzt schon wieder meine Post? – Die steckt in deinem Aktenkoffer. Du steckst deine Post doch immer in den Aktenkoffer. 5. Wo hängt denn jetzt schon wieder meine silbergraue Krawatte? – Die hängt an der Innenseite der Kleiderschranktür. Du hängst deine silbergraue Krawatte doch immer an die Innenwand der Kleiderschranktür. 6. Wo liegen denn jetzt schon wieder meine Autoschlüssel? – Die liegen auf der Kommode im Flur. Du legst deine Autoschlüssel doch immer auf die Kommode im Flur. 7. Wo stecken denn jetzt schon wieder meine Handschuhe? – Die stecken in deiner Manteltasche. Du steckst deine Handschuhe doch immer in die Manteltasche. 8. Wo steht den jetzt schon wieder mein Schirm? – Der steht neben der Wohnungstür. Du stellst deinen Schirm doch immer neben die Wohnungstür. 9. Wo sitzt denn jetzt schon wieder mein Hund? – Der sitzt vor der Tür. Du setzt deinen Hund doch immer vor die Tür.

Übung 5: Morgendliches Chaos
1. Du hast dein Badetuch zum Trocknen über die Heizung gehängt! – Es hat vor ein paar Minuten auch noch über der Heizung gehangen, aber jetzt ist es verschwunden. 2. Du hast dein Handy neben den Computer gelegt! – Es hat vor ein paar Minuten auch noch neben dem Computer gelegen, aber ...
3. Du hast deine Sportschuhe unter die Garderobe gestellt! – Sie haben vor ein paar Minuten auch noch unter der Garderobe gestanden, aber ... 4. Du hast deine Post in den Aktenkoffer gesteckt! – Sie hat vor ein paar Minuten auch noch im (in dem) Aktenkoffer gesteckt, aber ... 5. Du hast deine silbergraue Krawatte an die Innenseite der Kleiderschranktür gehängt! – Sie hat vor ein paar Minuten auch noch an der Innenseite der Kleiderschranktür gehangen, aber ... 6. Du hast deine Autoschlüssel auf die Kommode im Flur gelegt! – Sie haben vor ein paar Minuten auch noch auf der Kommode im Flur gelegen, aber ...
7. Du hast deine Handschuhe in die Manteltasche gesteckt! – Sie haben vor ein paar Minuten auch noch in der Manteltasche gesteckt, aber ... 8. Du hast deinen Schirm neben die Wohnungstür gestellt! – Er hat vor ein paar Minuten auch noch neben der Wohnungstür gestanden, aber ... 9. Du hast deinen Hund vor die Tür gesetzt! – Er hat vor ein paar Minuten auch noch vor der Tür gesessen, aber ...

§ 61

Übung 1: Das Traumhaus
1. Zeit seines Lebens hatte Herr Bauer von einem eigenen Haus geträumt. Es sollte ruhig und abseits der großen Verkehrswege liegen, also irgendwo draußen, außerhalb der Großstadt. 2. Andererseits sollte es natürlich unweit einer Bus- oder Bahnlinie liegen, damit die Stadt leichter erreichbar ist. 3. Anlässlich des Jubiläums einer bekannten Hilfsorganisation gab es eine große Tombola. Erster Preis: ein Einfamilienhaus. – Herr Bauer kaufte sich ein Los, und siehe da: Er gewann das Haus! 4. Aber da es in einer kleinen Siedlung inmitten eines Industriegebiets lag, war es dort sehr laut. 5. Beiderseits des Grundstücks verliefen verkehrsreiche Straßen und unweit des Industriegebiets, nur 2,5 km entfernt, lag auch noch ein Sportflugplatz. 6. Binnen eines Monats hatte Herr Bauer das Haus wieder verkauft.

Übung 2:   Studentenwohnung

1. Mein Vermieter hat mir mitgeteilt, dass ich leider <u>binnen</u> dreier Monat<u>e</u> aus meiner günstigen Wohnung in der Vorstadt ausziehen muss. 2. Er sagte: „<u>Der</u> Ordnung <u>halber</u> gebe ich Ihnen die Kündigung auch noch schriftlich." 3. <u>Dank</u> <u>der</u> Hilfe eines Kommilitonen habe ich ein Zimmer im Studentenwohnheim bekommen. 4. Das Wohnheim liegt <u>unweit</u> <u>der</u> Universität, aber das Zimmer ist teurer als die Wohnung. 5. <u>Wegen</u> <u>der</u> kurz<u>en</u> Entfernung zur Universität spare ich mir aber das Geld für öffentliche Verkehrsmittel. 6. Deshalb habe ich das Angebot <u>ungeachtet</u> <u>der</u> höher<u>en</u> Miete angenommen.

Übung 3:   1. seine technisch<u>en</u> Kenntnisse, dank seiner technischen Kenntnisse 2. unser<u>e</u> schnell<u>e</u> Hilfe, infolge unserer schnellen Hilfe 3. mein<u>e</u> jüngst<u>e</u> Schwester, anstelle meiner jüngsten Schwester 4. di<u>e</u> alt<u>e</u> Burg, unterhalb der alten Burg 5. ihr<u>e</u> gut<u>en</u> Fachkenntnisse, trotz ihrer guten Fachkenntnisse 6. sein<u>_</u> langweiliger Vortrag<u>_</u>, während seines langweiligen Vortrags 7. di<u>e</u> erwarte<u>te</u> gut<u>e</u> Note, anstatt der erwarteten guten Note 8. di<u>e</u> vielbefahren<u>e</u> Bundesstraße, abseits der vielbefahrenen Bundesstraße 9. ihr<u>_</u> siebzigst<u>er</u> Geburtstag<u>_</u>, anlässlich ihres siebzigsten Geburtstags 10. ein<u>_</u> nächtlicher Stromausfall<u>_</u>, aufgrund eines nächtlichen Stromausfalls 11. da<u>s</u> umzäunte Gebiet<u>_</u>, außerhalb des umzäunten Gebiets 12. ein<u>e</u> Gruppe begeistert<u>er</u> Fußballfans, inmitten einer Gruppe begeisterter Fußballfans 13. dies<u>e</u> hoh<u>e</u> Gebirgskette, jenseits dieser hohen Gebirgskette 14. ein<u>_</u> selbst gebastelt<u>er</u> Radiosender<u>_</u>, mittels eines selbst gebastelten Radiosenders 15. di<u>e</u> zuständige Behörde, seitens der zuständigen Behörde 16. di<u>e</u> geplant<u>e</u> Reise, statt der geplanten Reise 17. di<u>e</u> holländische Grenze, unweit der holländischen Grenze 18. sein<u>e</u> schwerwiegend<u>en</u> Bedenken, ungeachtet seiner schwerwiegenden Bedenken 19. fahrlässige Körperverletzung<u>_</u>, wegen fahrlässiger Körperverletzung 20. ein<u>_</u> schwer<u>er</u> Unfall<u>_</u>, infolge eines schweren Unfalls

Gesamtübungen: Präpositionen

Übung 1:   Aus dem Leben eines Junggesellen

Herr Müller steigt morgens um sieben Uhr aus <u>dem</u> Bett. Zuerst stellt er sich unter <u>die</u> Dusche, dann rasiert er sich vor <u>dem</u> Spiegel. Er geht zurück <u>ins</u> Schlafzimmer, holt sich Unterwäsche aus <u>dem</u> Wäscheschrank, nimmt seinen Anzug vom Kleiderständer und zieht sich an. Er geht in <u>die</u> Küche, schüttet Wasser in <u>die</u> Kaffeemaschine, füllt drei Löffel Kaffee in <u>den</u> Filter und schaltet die Maschine ein. Dann geht er an <u>die</u> Haustür und nimmt die Zeitung aus <u>dem</u> Briefkasten. Nun stellt er das Geschirr auf <u>den</u> Tisch, setzt sich auf ein<u>en</u> Stuhl, trinkt Kaffee und liest in <u>der</u> Zeitung zuerst den Lokalteil. Dann steckt er die Zeitung in <u>die</u> Aktentasche, nimmt die Tasche unter <u>den</u> Arm und geht zu sein<u>er</u> Bank. Dort steht er den ganzen Vormittag hinter <u>dem</u> Schalter und bedient die Kunden. Zu Mittag isst er in <u>der</u> Kantine der Bank. Am Nachmittag arbeitet er in <u>der</u> Kreditabteilung. Nach Feierabend eilt er meist durch <u>den</u> Park nach Hause. Bei schönem Wetter aber geht er gern noch etwas <u>im</u> Park spazieren und wenn es warm ist, setzt er sich auf ein<u>e</u> Bank, zieht seine Zeitung aus <u>der</u> Tasche und liest. Am Abend trifft er sich oft mit sein<u>en</u> Freunden in ein<u>em</u> Restaurant. Manchmal geht er auch in<u>s</u> Theater, in <u>die</u> Oper oder zu ein<u>er</u> anderen Veranstaltung. Wenn es ein<u>en</u> Krimi <u>im</u> Fernsehen gibt, setzt er sich auch mal vor <u>den</u> Fernseher. Manchmal schläft er vor <u>dem</u> Apparat ein. Spätestens gegen Mitternacht geht er in<u>s</u> Bett.

Übung 2:   Gestern Abend fuhr ein Betrunkener <u>mit</u> sein<u>em</u> alten Volkswagen <u>in</u> <u>den</u> Main. Das Auto stürzte <u>von</u> <u>der</u> Brücke <u>ins</u> Wasser und ging sofort unter. Einige Leute, die <u>am</u> Ufer standen, riefen <u>mit</u> ihrem Handy sofort die Notrufnummer 112 an und <u>in</u> fünf Minuten war die Feuerwehr schon da. Zwei Feuerwehrmänner <u>in</u> Taucheranzügen und <u>mit</u> Taucherbrillen <u>auf</u> <u>dem</u> Gesicht tauchten <u>ins</u> kalte Wasser. Sie befestigten <u>im</u> Wasser Seile <u>an</u> beiden Stoßstangen des Wagens. Ein Kran hob das Auto <u>aus</u> <u>dem</u> Wasser und man öffnete die Türen, damit das Wasser herauslaufen konnte. Der Fahrer saß ganz still <u>auf</u> sein<u>em</u> Platz <u>am</u> Steuer; sein Kopf lag <u>auf</u> <u>dem</u> Lenkrad. Er schien tot zu sein. Vorsichtig holte man den Verunglückten <u>aus</u> <u>dem</u> Wagen. Als man ihn <u>auf</u> <u>den</u> Boden legte, begann er sich zu bewegen, hustete, schlug die Augen auf und fragte: „Wo bin ich?" Ein Feuerwehrmann antwortete: „<u>Auf</u> <u>der</u> Brücke." „Dann ist es ja gut," sagte der Gerettete und schlief wieder ein.

Übung 3 a): I. Ich bin in die Türkei gereist / gefahren, in die Schweiz, in den Sudan, in die Vereinigten Staaten, in die Niederlande, in den Bayerischen Wald, in den Süden Frankreichs, in die Antarktis, in die Hauptstadt der Schweiz, in den Nordteil von Kanada, in die Alpen, in meine Heimatstadt.
II. Ich bin nach Kanada gereist / gefahren, nach Australien, nach Österreich, nach Ägypten, nach Kroatien, nach Russland, nach Bolivien, nach Nigeria, nach Hessen, nach Sachsen, nach Genf, nach Mailand.
III: Ich bin auf die Insel Rügen gereist / gefahren, auf die Philippinen, auf die Insel Helgoland, auf den Feldberg, auf die Zugspitze, auf den Montblanc.
IV: Ich bin an den Rhein gereist / gefahren, an die Elbe, an die Ostseeküste, an den Bodensee, an die Donau, an den Mississippi, an den Amazonas, an die Landesgrenze.

Übung 3 b): I. In der Türkei bin ich drei Tage / Wochen geblieben, in der Schweiz bin ich ... geblieben, im Sudan bin ich ... geblieben, in den Vereinigten Staaten bin ich ... geblieben, in den Niederlanden bin ich ... geblieben, im Bayerischen Wald bin ich ... geblieben, im Süden Frankreichs bin ich ... geblieben, in der Antarktis bin ich ... geblieben, in der Hauptstadt der Schweiz bin ich ... geblieben, im Nordteil von Kanada bin ich ... geblieben, in den Alpen bin ich ... geblieben, in meiner Heimatstadt bin ich ... geblieben.
II. In Kanada bin ich drei Tage / Wochen geblieben, in Australien bin ich ... geblieben, in Österreich bin ich ... geblieben, in Ägypten bin ich ... geblieben, in Kroatien bin ich ... geblieben, in Russland bin ich ... geblieben, in Bolivien bin ich ... geblieben, in Nigeria bin ich ... geblieben, in Hessen bin ich ... geblieben, in Sachsen bin ich ... geblieben, in Genf bin ich ... geblieben, in Mailand bin ich ... geblieben.
III: Auf der Insel Rügen bin ich drei Tage / Wochen geblieben, auf den Philippinen bin ich ... geblieben, auf der Insel Helgoland bin ich ... geblieben, auf dem Feldberg bin ich ... geblieben, auf der Zugspitze bin ich ... geblieben, auf dem Montblanc bin ich ... geblieben.
IV: Am Rhein bin ich drei Tage / Wochen geblieben, an der Elbe bin ich ... geblieben, an der Ostseeküste bin ich ... geblieben, am Bodensee bin ich ... geblieben, an der Donau bin ich ... geblieben, am Mississippi bin ich ... geblieben, am Amazonas bin ich ... geblieben, an der Landesgrenze bin ich ... geblieben.

Übung 4: 1. An die Nordsee. An der Nordsee bin ich eine Woche geblieben. 2. Auf den / Zum Kilimandscharo. Auf dem / Am Kilimandscharo bin ich einen Tag geblieben. 3. Zu meinen Eltern. Bei meinen Eltern bin ich zwei Tage geblieben. 4. Zu einer Tagung. Auf der Tagung bin ich drei Tage geblieben. 5. An den Baikalsee. Am Baikalsee bin ich einen Monat geblieben. 6. Auf den / Zum Montblanc. Auf dem / Am Montblanc bin ich einen Tag geblieben. 7. Zu einem Arzt in Rom. Bei dem Arzt in Rom bin ich einen Vormittag geblieben. 8. Zu einem / Auf einen Kongress. Auf dem Kongress bin ich vier Tage geblieben. 9. Auf die Insel Sylt. Auf der Insel Sylt bin ich fünf Tage geblieben. 10. An den Golf von Mexiko. Am Golf von Mexiko bin ich zwei Wochen geblieben.

Übung 5: I: Ich gehe 1. in / auf mein Zimmer. 2. zu meiner Freundin. 3. auf die Straße. 4. auf den Balkon. 5. ins Kino. 6. in die / zur Garage. 7. in den Keller. 8. ans / zum Meer. 9. zum Arzt. 10. in die Oper. 11. zu Angelika. 12. an den / zum Briefkasten. 13. ins / zum Reisebüro. 14. in die / zur Schule. 15. in den / zum Unterricht. 16. ins Klassenzimmer. 17. zum Metzger. 18. in die / zur Bäckerei. 19. ins Café. 20. in die Fabrik. 21. zur Polizei. 22. aufs / zum Finanzamt. 23. zum Militär. 24. in die / zur Kirche. 25. auf den / zum Friedhof. 26. auf die / zur Post. 27. an die / zur Haltestelle.
II: Ich steige 1. auf den Mount Everest. 2. in den Zug. 3. in die U-Bahn. 4. auf das / aufs „Dach der Welt". 5. auf den Aussichtsturm. 6. in die Straßenbahn.
III: Ich fahre 1. nach Dänemark. 2. in meine Heimatstadt. 3. in den Schwarzwald. 4. ins Gebirge. 5. an das / ans Schwarze Meer. 6. in den Urwald. 7. durch den Tunnel. 8. an die / zur Küste. 9. aufs Land. 10. zu meinen Freunden nach Berlin. 11. an den Bodensee. 12. in den / durch den Wald.
IV: Ich fliege 1. in die Mongolei. 2. nach Los Angeles. 3. in ein fernes Land. 4. nach Brasilien. 5. nach Tschechien. 6. an den / zum Nordpol. 7. in die Türkei. 8. nach Südamerika. 9. nach Spanien. 10. auf eine / zu einer Insel.

Übung 6:   I: Ich bin 1. in meinem Zimmer. 2. bei meiner Freundin. 3. auf der Straße. 4. auf dem Balkon. 5. im Kino. 6. in / an der Garage. 7. im Keller. 8. am Meer. 9. beim Arzt. 10. in der Oper. 11. bei Angelika. 12. am Briefkasten. 13. im Reisebüro. 14. in der Schule. 15. im Unterricht. 16. im Klassenzimmer. 17. beim Metzger. 18. in der Bäckerei. 19. im Café. 20. in der Fabrik. 21. bei / auf der Polizei. 22. auf dem / im Finanzamt. 23. beim Militär. 24. in der Kirche. 25. auf dem Friedhof. 26. auf der Post. 27. an der Haltestelle.
II: Ich bin 1. auf dem Mount Everest. 2. im Zug. 3. in der U-Bahn. 4. auf dem „Dach der Welt". 5. auf dem Aussichtsturm. 6. in der Straßenbahn.
III: Ich bin 1. in Dänemark. 2. in meiner Heimatstadt. 3. im Schwarzwald. 4. im Gebirge. 5. am Schwarzen Meer. 6. im Urwald. 7. im Tunnel. 8. an der Küste. 9. auf dem Land. 10. bei meinen Freunden in Berlin. 11. am Bodensee. 12. im Wald.
IV: Ich bin 1. in der Mongolei. 2. in Los Angeles. 3. in einem fernen Land. 4. in Brasilien. 5. in Tschechien. 6. am Nordpol. 7. in der Türkei. 8. in Südamerika. 9. in Spanien. 10. auf einer Insel.

Übung 7:   1. Anton fährt nach München. 2. Berta fliegt auf die Insel Madagaskar. 3. Cäsar blieb im Sommer immer in seiner Villa. 4. Dora fährt aufs Land. 5. Emil fährt nach Finnland. 6. Friedrich fährt in den Libanon. 7. Gustav fährt zu seiner Nichte nach Wien. 8. Heinrich reist zu seiner Freundin nach Österreich. 9. Ida bleibt zu Hause bei ihren Eltern. 10. Julius macht in Bordeaux einen Französischkurs. 11. Konrad geht in Irland angeln. 12. Ludwig fliegt nach Brasilien und nimmt an einer Exkursion an den Amazonas teil. 13. Martha fliegt nach Ostasien. 14. Norbert geht jeden Tag ins Schwimmbad. 15. Otto spielt abends gern Roulette im Casino in Monaco. 16. Paula fährt zur Erholung in die Berge. 17. Quirin wandert in den Alpen. 18. Richard lässt es sich in einem Wellnesshotel gut gehen. 19. Siegfried wohnt drei Wochen in einer Pension in einem Dorf in Schottland. 20. Theodor verbringt den Urlaub auf einem Bauernhof in Oberbayern.

Übung 8:   (Fortsetzung der Übung 2 aus § 60)
Motoren und Autos
Schon – 1876 entwickelte Nikolaus Otto den ersten Benzinmotor. An einem Herbsttag des Jahres 1886 fuhr zum ersten Mal ein Automobil durch Stuttgarts Straßen. Gottlieb Daimler, geboren am 17. 3. 1834, hatte es gebaut. Bei / Während seiner ersten Fahrt mit dem neuen Auto schrien die Leute vor Schreck: „Der Teufel kommt!" Daimler ist am 6. März 1900, also mit 65 Jahren, gestorben. Aus den Werkstätten von Gottfried Daimler und Carl Benz entstand im Jahr 1926 die Daimler-Benz-Aktiengesellschaft. Von 1893 bis 1897, also circa 20 Jahre nach der Erfindung des Benzinmotors durch Nikolaus Otto, arbeitete Rudolf Diesel an einem neuen Motor. Dieser Motor wurde in späteren Jahren nach seinem Erfinder Dieselmotor genannt. Im Jahr 2000, also 100 Jahre nach Daimlers Tod, waren allein in Deutschland mehr als 43 Millionen Pkws (Personenkraftwagen) zugelassen. Wie wird es im 21. Jahrhundert mit der immer weiter wachsenden Zahl der Kraftfahrzeuge weitergehen?

Übung 9:   Etwas geschieht 1. in wenigen Sekunden. 2. am Mittwoch. 3. in acht Tagen. 4. in der Nacht. 5. am Nachmittag. 6. gegen 12 Uhr. 7. gegen / um Mitternacht. 8. in diesem Moment. 9. zu / an Weihnachten. 10. an meinem Geburtstag. 11. bei der Hochzeit meiner Schwester. 12. gegen Morgen. 13. am / zum Monatsende. 14. in 14 Tagen. 15. im Frühjahr. 16. am / zu Anfang der Ferien. 17. bei Sonnenaufgang. 18. bei nächster Gelegenheit. 19. in wenigen Augenblicken. 20. im August. 21. in zwei Jahren. 22. um 17 Uhr.

Übung 10:   Die Bahn hat Verspätung
Am Mittwoch, dem 18. Juni, wollten wir mit der Bahn von Köln nach Mannheim zu einer Tagung fahren. Der ICE 515 sollte um 9.46 Uhr am Hauptbahnhof in Köln eintreffen. Genau fünf Minuten vor der fahrplanmäßigen Ankunft des Zuges standen wir vor / auf dem Bahnsteig. Eine Lautsprecherdurchsage informierte uns aber, dass sich der aus Hamburg kommende und über Frankfurt (Main), Mannheim, Stuttgart, Ulm und Augsburg nach München fahrende ICE 515 um etwa 20 Minuten verspätet und deshalb erst gegen 10.15 Uhr in Köln ankommen werde. Wir waren nicht sehr erfreut über diese Nachricht, denn selbst bei der fahrplanmäßigen Ankunft in Mannheim um 11.24 Uhr wäre uns bis zum Beginn der Konferenz um 12 Uhr nur eine Zeitspanne von einer halben Stunde geblieben, um mit einem Taxi unseren Tagungsort zu erreichen. Als wir um Viertel nach zehn endlich losfuhren, hofften wir, gegen 12 Uhr in Mannheim zu sein. Aber kurz darauf musste der Zug eine Reihe von Baustellen passieren, wo er nur

mit etwa 15 <u>bis</u> 20 km/h fahren konnte, und das <u>auf</u> einer Strecke <u>von</u> etwa 10 Kilometern, wie wir <u>auf</u> der Geschwindigkeitsanzeige <u>über</u> der Glastür <u>am</u> Ende des Waggons ablesen konnten. Als wir <u>am</u> frühen Nachmittag <u>in</u> Mannheim ankamen, schworen wir uns, <u>von</u> jetzt <u>ab</u> nur noch <u>mit</u> dem Auto zu fahren.

§ 62

Übung 1 a): 1. Wer <u>hat</u> bei den Wählern Anerkennung <u>gefunden</u>? – Der Politiker hat bei den Wählern Anerkennung gefunden. 2. Wer <u>hat</u> der Firmenleitung die Schuld an den Verlusten <u>gegeben</u>? – Die Gewerkschaftsvertreter haben der Firmenleitung die Schuld an den Verlusten gegeben. 3. Wer <u>hat</u> das Vertrauen der Patienten <u>gewonnen</u>? – Der Arzt hat das Vertrauen der Patienten gewonnen. 4. Wer <u>hat</u> eine Vorlesung über Goethe <u>gehalten</u>? – Ein Professor aus Rom hat eine Vorlesung über Goethe gehalten. 5. Wer <u>hat</u> im Erdbebengebiet Hilfe <u>geleistet</u>? – Die Mitarbeiter des Roten Kreuzes haben im Erdbebengebiet Hilfe geleistet. 6. Wer <u>hat</u> dir ein Angebot für ein Ferienhaus <u>gemacht</u>? – Der Makler hat mir ein Angebot für ein Ferienhaus gemacht. 7. Wer <u>hat</u> dem Verkäufer Vorwürfe wegen seiner Unhöflichkeit <u>gemacht</u>? – Der Filialleiter hat dem Verkäufer Vorwürfe wegen seiner Unhöflichkeit gemacht. 8. Wer <u>hat</u> am Ende der Verhandlungen eine Entscheidung <u>getroffen</u>? – Die Abteilungsleiter haben am Ende der Verhandlungen eine Entscheidung getroffen. 9. Wer <u>hat</u> in der kleinen Stadt 150 neue Arbeitsplätze <u>geschaffen</u>? – Ein Textilfabrikant hat in der kleinen Stadt 150 neue Arbeitsplätze geschaffen. 10. Was <u>hat</u> das Interesse des Wissenschaftlers <u>geweckt</u>? – Die Forschungen eines Kollegen haben das Interesse des Wissenschaftlers <u>geweckt</u>.

Übung 1 b): 1. Wer <u>hat</u> die Lottoscheine <u>angenommen</u>? – Der Mann im Zeitungskiosk hat die Lottoscheine angenommen. 2. Wer <u>hat</u> im Stadion großen Schaden <u>angerichtet</u>? – Randalierende Fußballfans haben im Stadion großen Schaden <u>angerichtet</u>. 3. Wer <u>hat</u> am 2. Mai seinen Dienst <u>angetreten</u>? – Zwei neue Mitarbeiter haben am 2. Mai ihren Dienst <u>angetreten</u>. 4. Wer <u>hat</u> seinen Beruf erst mit über 80 Jahren <u>aufgegeben</u>? – Der bekannte Schauspieler hat seinen Beruf erst mit über 80 Jahren aufgegeben. 5. Wer <u>hat</u> seine Ansprüche beim Sozialamt <u>durchgesetzt</u>? – Der Arbeitslose hat seine Ansprüche beim Sozialamt durchgesetzt. 6. Wer <u>hat</u> gegen das Urteil Berufung <u>eingelegt</u>? – Der Verteidiger hat gegen das Urteil Berufung eingelegt. 7. Wer <u>hat</u> bei der Verbraucherzentrale Beschwerde <u>eingelegt</u>? – Wütende Kunden haben bei der Verbraucherzentrale Beschwerde eingelegt. 8. Wer <u>hat</u> im Stadtrat zuerst das Wort <u>ergriffen</u>? – Der Bürgermeister hat im Stadtrat zuerst das Wort ergriffen. 9. Wer <u>hat</u> gegen den Dieb Anzeige <u>erstattet</u>? – Der Ladeninhaber hat gegen den Dieb Anzeige erstattet. 10. Wer <u>hat</u> <u>sich</u> bei einem gefährlichen Sprung eine leichte Verletzung <u>zugezogen</u>? – Der Stuntman hat sich bei einem gefährlichen Sprung eine leichte Verletzung zugezogen.

Übung 1 c): 1. Der Junge hat sich eine Erkältung geholt. 2. Die Kinder haben ihm die Freiheit gegeben. 3. Meine Nachbarin hat mir Vorwürfe gemacht. 4. Ich habe für die kaputte Fensterscheibe Ersatz leisten müssen. 5. Wir haben mit dem Hausbesitzer einen Mietvertrag abschließen müssen. 6. Die Post hat Nachforschungen nach dem Paket angestellt. 7. Der Stadtrat hat den Plan aufgegeben. 8. Der Programmierer hat mit mir einen Vertrag abgeschlossen und den Auftrag ausgeführt. 9. Der Elektronikkonzern hat die Herstellung des Handys eingestellt. 10. Die Lehrerin hat zwischen den Schülern Frieden gestiftet.

Übung 2 a): 1. Das Gericht *hat* noch *keine Entscheidung gefällt*, ob der Angeklagte freigesprochen werden kann. 2. Der Vortrag des Atomwissenschaftlers *fand* bei den anwesenden Forschern *großes Interesse*. 3. Süßstoffe *finden* bei der Herstellung von zuckerfreien Lebensmitteln *Verwendung*. 4. Viele Länder, die früher gegeneinander *Krieg führten*, sind heute miteinander befreundet. 5. Wenn die Eltern *ihre Einwilligung* nicht *geben*, kann ein Fünfzehnjähriger keine Waren im Internet bestellen. 6. Wie viele Stunden *Unterricht geben* Sie pro Woche? 7. Glauben Sie, dass er *sein Versprechen / sein Wort hält*? 8. Meeressäugetiere müssen von Zeit zu Zeit an die Wasseroberfläche schwimmen, um *Atem zu holen*. 9. Wer einen Gegenstand stark beschädigt, *muss dafür* dem Eigentümer *Ersatz leisten*. 10. Noch im Hotel *nahmen* die Teilnehmer der Veranstaltung *Abschied* voneinander. 11. Die Gäste wurden gebeten, *Platz zu nehmen*. 12. Die Geschwister *trafen die Vereinbarung*, jedes Jahr in ihrer Heimatstadt zusammenzukommen.

Übung 2 b):   1. Im letzten Herbst *haben* nur 55 Prozent der Wähler *ihre Stimme abgegeben*. 2. Nach langen Verhören *legte* der Angeklagte schließlich *ein Geständnis ab*. 3. Der neu gewählte Präsident *musste einen Eid* auf die Verfassung *ablegen*. 4. Nach zwei Jahren *schloss* er endlich seine *Doktorarbeit ab*. 5. Die Eltern ermahnten ihren sechzehnjährigen Sohn, doch *Vernunft anzunehmen*. 6. Ein Wirbelsturm *richtete* in großen Teilen des Landes schwere *Verwüstungen an*. 7. Die Versicherungsgesellschaft *stellt Nachforschungen* nach einem Schiff *an*, das im Bermudadreieck verschwunden ist. 8. Punkt neun Uhr *hat* die Reisegruppe *die Fahrt angetreten*. 9. Sie *gibt die Hoffnung auf*, dass ihr Mann zu ihr zurückkommt. 10. Er ist handwerklich begabt und *führt alle Reparaturen* selbst *aus*. 11. Der Gefangene *hat* in seiner Zelle *Selbstmord begangen*. 12. Er sollte 30 Euro Mahngebühr an das Finanzamt zahlen; dagegen *hat er Beschwerde eingelegt*. 13. Der Betriebsrat *hat* verschiedene *Vorschläge* zur Arbeitszeitverkürzung *eingereicht*. 14. Das hoch verschuldete Unternehmen *musste den Betrieb einstellen*. 15. Die Diebe *ergriffen die Flucht*, als sie die Sirenen des Polizeiwagens hörten. 16. Infolge des nasskalten Wetters *haben sich* viele Menschen *eine Erkältung zugezogen*. 17. Der Skirennfahrer *hat sich* beim Abfahrtslauf *eine* schwere *Verletzung zugezogen*.

Übung 3:   Krach im Gemeinderat
1. Wir, die gewählten Gemeindevertreter, haben unser Einverständnis da<u>mit</u> erklärt, dass in unserer Stadt ein neues Bürgerhaus errichtet wird. 2. Aber wir legen Protest ein <u>gegen</u> die Vergabe des Bauauftrags an ein Unternehmen aus Kiel durch Sie, Herr Bürgermeister. 3. Wir wissen Bescheid dar<u>über</u>, dass Ihr Schwager eine leitende Stellung in dieser Firma hat. 4. Wir denken, dass die Gemeinde eine gewisse Verantwortung <u>für</u> die hier ansässigen Baufirmen trägt. 5. Das Projekt stellt keine ungewöhnlichen Anforderungen <u>an</u> einen Auftragnehmer. 6. Wir möchten Ihre Aufmerksamkeit dar<u>auf</u> lenken, dass die Ausführung des Vorhabens durch die örtlichen Bauunternehmen wahrscheinlich circa 25% weniger kosten würde. 7. Herr Bürgermeister, Sie müssen sich endlich Gedanken dar<u>über</u> machen, auf welcher Seite Sie stehen. 8. Wenn Sie nicht sofort die notwendigen Konsequenzen <u>aus</u> Ihrem Verhalten ziehen, werden Sie bei der nächsten Wahl die Quittung da<u>für</u> bekommen. 9. Sie allein tragen die Schuld dar<u>an</u>, wenn das Projekt unsere Gemeinde finanziell überfordert. 10. Wir stellen den Antrag <u>auf</u> eine reguläre Ausschreibung des Auftrags und legen Wert dar<u>auf</u>, dass insbesondere die Bewerbungen der einheimischen Firmen berücksichtigt werden.

Übung 4 a):   Auf dem Sozialamt
1. Vor dem Urlaub *stellte* der Vater einer kinderreichen Familie *einen Antrag auf* einen Zuschuss zum Urlaubsgeld. 2. Er *machte sich Hoffnungen darauf*, dass das Sozialamt ihn unterstützen würde, einen Campingwagen zu mieten. 3. Er musste mit dem Sachbearbeiter *ein Gespräch über* seine Ferienpläne *führen*. 4. Er hatte *sich Gedanken darüber gemacht*, wie er mit seiner Frau und den sieben Kindern am billigsten Urlaub machen könnte. 5. Mit einem Bauern *hatte* er *eine Verabredung (darüber) getroffen*, dass seine Familie in der Ferienwohnung über der Scheune wohnen kann. 6. Der Vater *fand Gefallen an* dem Dorf und dem Bauernhof, 7. weil seine Kinder dort spielen, schreien und toben konnten, ohne dass irgendwelche Nachbarn *dagegen Protest einlegten*. 8. Der Sachbearbeiter *erklärte sein Einverständnis* mit diesem Plan. 9. Er *stellte* allerdings *die Frage nach* der Notwendigkeit des Campingwagens. 10. Der Vater erklärte: „*Ich lege Wert darauf*, dass meine Kinder auch die Wälder und Seen der Umgebung kennenlernen. 11. Außerdem *habe ich mir darüber Gedanken gemacht*, dass Fahrten mit Bus und Bahn sehr viel teurer sind. 12. Ihre Vorgesetzten *werden* wahrscheinlich *an Ihnen Kritik üben*, wenn Sie *darauf keine Rücksicht nehmen*.“ 13. Der Sachbearbeiter *fand Gefallen an* der pfiffigen Antwort und lachte: „Natürlich *haben* Sie *ein Recht darauf*, Ihren Kindern ein schönes Ferienerlebnis zu bieten.“

Übung 4 b):   1. Ich *nehme Bezug auf* die Rede des Parteivorsitzenden vom 1.3. 2. Viele Menschen *haben* anscheinend gar *kein Interesse an* der drohenden Klimakatastrophe. 3. Er *nahm an* seinen lieblosen Verwandten *Rache* und schenkte sein Vermögen der Kirche. 4. Jedes der drei Kinder *kann Anspruch auf* einen Teil des Erbes *erheben*. 5. Die Entwicklung der Technik in den industrialisierten Ländern ist so schnell, dass ärmere Länder *damit* kaum *Schritt halten können*. 6. Juristen *machen einen Unterschied zwischen* den Begriffen „Eigentum“ und „Besitz“. 7. Viele Eltern *stellen* höhere *Anforderungen an* die Schulen, als diese erfüllen können.

Übung 5: 1. Wir müssen uns jetzt von unseren Eltern *verabschieden*. 2. Manche Menschen wollen immerzu andere Menschen *beeinflussen*. 3. Die Opposition hat die Regierung heftig *kritisiert*. 4. Nachdem er den Film zum zweiten Mal gesehen hatte, *gefiel* er ihm doch. 5. Der Spekulant *hoffte* auf einen hohen Gewinn. 6. Er schwor, *sich* an seinem Feind zu *rächen*. 7. Ich habe darüber bereits *nachgedacht*. 8. Wir wollen die Reise rechtzeitig *vorbereiten*. 9. Wegen des beschädigten Gartenzauns werde ich meinen Nachbarn jetzt doch *anzeigen*. 10. Dem Gerichtsbeschluss will der Anwalt *widersprechen*.

Übung 6: Energiegewinnung – eine Streitfrage
1. Heute soll wieder das Thema „Reinhaltung der Luft" *zur Diskussion* stehen. 2. Bei dieser Gelegenheit werden wir auch das Thema „Windenergie" *zur Diskussion* stellen. 3. Ein Redner brachte noch einmal die Notwendigkeit der Nutzung erneuerbarer Energien *zum Ausdruck*. 4. Im Anschluss an seine Rede versuchte er eine Diskussion *in Gang* zu bringen. 5. Die Regierung stellte mehr finanzielle Hilfen für die Errichtung von Solaranlagen *in Aussicht*. 6. Man versprach, den verstärkten Einsatz erneuerbarer Energien *in Erwägung* zu ziehen. 7. Naturschützer verlangen, dass die Nutzung der Solarenergie im großen Stil *in Angriff* zu nehmen ist. 8. Dabei stoßen sie bei gewissen Politikern und Unternehmen *auf Ablehnung*. 9. Die vermehrte Nutzung erneuerbarer Energien stößt bei Gegnern immer wieder *auf Kritik*. 10. Diese Kritik liegt vermutlich *im Interesse* der großen Stromkonzerne. 11. Man fürchtet, dass man mit den Vertretern der Atomenergie *in Konflikt* gerät. 12. Außerdem ist geplant, an verschiedenen Orten neue Kohlekraftwerke *in Betrieb* zu nehmen. 13. Man glaubt, dabei ihre Wirtschaftlichkeit *unter Beweis* stellen zu können. 14. Dafür muss man allerdings einen höheren CO_2-Ausstoß *in Kauf* nehmen. 15. Aber die Erfolge der Anbieter ökologisch erzeugter Energie werden viele Zweifler *in Erstaunen* versetzen.

Übung 7 a): 1. Ja, sie *haben* neue Erkenntnisse auf dem Gebiet der Genforschung *in Aussicht gestellt*. 2. Ja, es *stehen* ganz neue Ergebnisse *in Aussicht*. 3. Ja, diese Ergebnisse *haben* andere Wissenschaftler *in Erstaunen versetzt*. 4. Ja, man *hat* schon *in Erwägung gezogen*, die Erkenntnisse zu veröffentlichen. 5. Nein, nicht alle Wissenschaftler *sind zu dem Entschluss gekommen*, die Genmanipulation an Pflanzen fortzusetzen. 6. Ja, die Auseinandersetzungen über dieses Problem *sind zum Ende gelangt / gekommen*. 7. Nein, die Diskussion darüber *wird* niemals *zu Ende gebracht (werden)*.

Übung 7 b): 1. Ja, sie *hat* den Wirtschaftsminister *unter Druck gesetzt*. 2. Ja, manche Abgeordnete *stehen unter Druck*, für oder gegen ein Gesetz zu stimmen. 3. Ja, sie *sind* miteinander *in Streit geraten*. 4. Ja, sie *hat* die Argumente der Regierungspartei *in Zweifel gezogen*. 5. Nein, das Gesetz *soll* ab 1. Januar noch nicht *in Kraft treten*. 6. Doch, das Gesetz *ist in Frage gestellt* worden. 7. Ja, eine Änderung des Gesetzes *muss in Erwägung gezogen* werden. 8. Nein, sie *kamen* nicht *zur Einsicht*, dass sie Fehler gemacht haben.

Übung 8: 1. Der Bürgermeister wollte den Vertrag schnell *abschließen*. 2. Aber seine Absicht, den Plan des Jungunternehmers zu fördern, *wurde* im Gemeinderat *abgelehnt*. 3. Wie eine örtliche Bürgerinitiative *erfahren hatte*, sollten nämlich in diesem Betrieb radioaktiv verseuchte Schutzkleidung und radioaktiver Abfall aus Krankenhäusern gereinigt werden. 4. Natürlich könnte ein solcher Spezialbetrieb der Gemeinde *nutzen*, zumal sein Gründer *erwägt*, sich auch an einem geplanten Wohngebiet mit Investitionen zu beteiligen. 5. Wenn der Gemeinderat *sich entschließen* sollte, den Vertrag mit dem jungen Unternehmer *abzuschließen*, dann müssen zuvor verschiedene Gutachten eingeholt und gründliche Tests durchgeführt werden, deren Ergebnisse von niemandem *bezweifelt / angezweifelt werden* können. 6. Es muss vor allem *bewiesen werden*, dass keine radioaktiven Abwässer aus der Reinigung in die nahen Flüsse oder in das Grundwasser gelangen können. 7. Man darf nicht die Möglichkeit *hinnehmen*, dass Menschen unserer und auch noch späterer Generationen *gefährdet werden* könnten. 8. Da man *sich* bisher noch *nicht einigen* konnte, muss die Angelegenheit in der nächsten Gemeinderatssitzung erneut *diskutiert werden*.

Übung 9:   1. kein Blatt vor <u>den</u> Mund nehmen: seine Meinung sehr deutlich sagen
2. aus <u>der</u> Haut fahren: ungeduldig / wütend werden
3. jdm. auf <u>die</u> Finger sehen: jdn. genau kontrollieren
4. etw. ist aus <u>der</u> Luft gegriffen: etw. ist frei erfunden
5. ein Haar in <u>der</u> Suppe finden: einen Nachteil, einen Fehler finden
6. jdm. um <u>den</u> Hals fallen: jdn. umarmen
7. etw. in <u>die</u> Hand nehmen: eine Sache zielstrebig übernehmen und durchführen
8. von <u>der</u> Hand in <u>den</u> Mund leben: planlos leben; nicht wissen, wovon man morgen leben soll
9. sich etw. aus <u>dem</u> Kopf schlagen: einen Wunsch, eine Absicht, eine Idee aufgeben
10. jdm. wie aus <u>dem</u> Gesicht geschnitten sein: jdm. außerordentlich ähnlich sehen
11. etw. auf <u>die</u> Seite legen: etw. für spätere Zeiten sparen
12. ein Spiel mit <u>dem</u> Feuer: eine gefährliche Sache
13. etw. springt einem in <u>die</u> Augen: etw. fällt stark auf
14. sich aus <u>dem</u> Staub machen: weggehen, fliehen
15. sich jdm. in <u>den</u> Weg stellen: jdm. Schwierigkeiten machen, jdn. an etw. hindern
16. sein Geld aus <u>dem</u> Fenster werfen: sein Geld sinnlos ausgeben, verschwenden
17. jdn. vor <u>die</u> Tür setzen: jdn. aus dem Haus werfen
18. in <u>den</u> Tag hinein leben: planlos, oberflächlich, unbeschwert leben
19. jdm. auf <u>der</u> Tasche liegen: vom Geld eines anderen leben
20. in <u>der</u> Tinte sitzen: in einer unangenehmen Lage sein

Übung 10:   1. etw. fällt unter <u>den</u> Tisch: etw. bleibt unberücksichtigt, wird aufgegeben
2. Die Ferien stehen vor <u>der</u> Tür: Es ist kurz vor den Ferien.
3. aus <u>dem</u> gleichen Holz geschnitzt sein: von gleichem Charakter, gleicher Art sein (zwei Menschen)
4. einer Sache aus <u>dem</u> Weg gehen: einer Sache ausweichen, sich nicht auf sie einlassen
5. einen Rat in <u>den</u> Wind schlagen: einen Rat leichtfertig ablehnen
6. sein Fähnchen nach <u>dem</u> Wind hängen: sich opportunistisch verhalten
7. jdm. / einer Sache auf den Zahn fühlen: jdn. / eine Sache gründlich prüfen
8. mir liegt das Wort auf <u>der</u> Zunge: ich weiß das Wort, aber es fällt mir im Augenblick nicht ein
9. auf <u>die</u> Nase fallen: hinfallen; Pech haben
10. auf <u>der</u> Nase liegen: hingefallen sein; krank sein; *auch:* gescheitert sein
11. jdm. in <u>den</u> Ohren liegen: jdm. etw. immer wieder sagen
12. jdn. auf <u>die</u> Palme bringen: jdn. wütend machen
13. wie aus <u>der</u> Pistole geschossen: sofort, schnell, ohne Zögern
14. die Rechnung ohne <u>den</u> Wirt machen: etw. unter falscher Voraussetzung tun
15. aus <u>der</u> Reihe tanzen: als Einziger einer Gruppe etw. anderes tun als die anderen
16. (nicht) bei <u>der</u> Sache sein: sich (nicht) auf etw. konzentrieren
17. etw. auf <u>die</u> Seite schaffen: etw. stehlen
18. über sein<u>en</u> Schatten springen: sich selbst überwinden
19. sein<u>en</u> Mann / ihre Frau stehen: sich behaupten, im Leben bestehen; arbeiten
20. unter <u>die</u> Räuber fallen: betrogen werden

Übung 11:   Er ist seinem Vater wie <u>aus</u> <u>dem</u> Gesicht geschnitten. Das springt einem sofort <u>in</u> <u>die</u> Augen, wenn man ihm begegnet. Aber er ist nicht <u>aus</u> <u>dem</u> gleichen Holz geschnitzt. Wo der Vater stets Stellung bezieht und nie ein Blatt <u>vor</u> <u>den</u> Mund nimmt, hängt der Sohn sein Fähnchen <u>nach</u> <u>dem</u> Wind und wenn sich ihm jemand <u>in</u> <u>den</u> Weg stellt, dann macht er sich <u>aus</u> <u>dem</u> Staub. Seinen Vater bringt dieses Verhalten <u>auf</u> <u>die</u> Palme. Er möchte manchmal <u>aus</u> <u>der</u> Haut fahren. Aber der Junge ist ja nicht schlecht: Er lebt nicht einfach <u>in</u> <u>den</u> Tag hinein, er geht keiner Arbeit <u>aus</u> <u>dem</u> Weg und er liegt seinen Eltern nicht <u>auf</u> <u>der</u> Tasche. Er legt sogar regelmäßig etwas Geld <u>auf</u> <u>die</u> Seite und wirft es nicht <u>aus</u> <u>dem</u> Fenster. Er müsste nur endlich <u>über</u> sein<u>en</u> Schatten springen und etwas mehr Selbstbewusstsein entwickeln.

§ 63

Übung 1: Schicksal oder Zufall?

Ein Professor, der noch in der Nacht mit dem Flugzeug nach New York *reisen wollte, saß* abends müde an seinem Schreibtisch, nachdem er alle seine Sachen eingepackt hatte, als plötzlich das Telefon *klingelte*. Es *war* ein Freund des Professors, der schon früh am Abend *schlafen gegangen war* und einen Traum *gehabt hatte*, den er jetzt seinem Freund *mitteilte*: „Ich *habe* im Traum ein Flugzeug mit derselben Nummer, die auf deiner Flugkarte steht, über dem Atlantik *abstürzen sehen*. Bitte *fliege* nicht nach New York." Der Professor *versprach* dem Freund, nicht zu fliegen. Als er am nächsten Morgen die Nachrichten *hörte, war* er schockiert: „Die Maschine des Fluges Nr. 265 von Frankfurt nach New York ist am Morgen über dem Atlantik *abgestürzt!*" Er *sprang auf, griff* nach seiner Flugkarte und *erkannte* dieselbe Nummer. – Sobald er *sich angezogen hatte, rannte* er auf die Straße, um seinem Freund, der ihn gewarnt hatte, persönlich für seine Rettung zu danken. Als er um die Ecke *bog, stieß* er so unglücklich gegen einen Laternenpfahl, dass er *stürzte* und mit dem Kopf auf das Pflaster *schlug*. „Das *ist* das Ende!", *dachte* der Professor, „mein Schicksal *erfüllt sich* nun doch." Dann *wurde* er ohnmächtig. Aber es *kam* anders: Am späten Nachmittag *erwachte* er in einem Krankenzimmer und als sich eine freundliche Pflegerin über ihn *beugte, war* seine erste Frage: „Was ist mit den Passagieren des Flugs Nr. 265 *geschehen?*" – „Bitte *regen* Sie sich nicht *auf!*", *antwortete* die Krankenschwester. „Das *war* eine Falschmeldung! Die Maschine *ist* sicher *gelandet*." Bevor der Professor wieder in Ohnmacht *sank, flüsterte* er: „Dann *hat sich* mein Freund also doch *geirrt*."

Übung 2: Fahrerflucht

Gleich zweimal *wurden* am Wochenende alkoholisierte Autofahrer von der Polizei *gestellt* (stellen; Passiv, Prät.), nachdem sie zuvor erheblichen Schaden *verursacht* (verursachen; Plusqu.) und den Unfallort *verlassen hatten* (verlassen; Plusqu.). Im ersten Fall *überprüften* (überprüfen; Prät.) die Polizisten ein Fahrzeug mit Hamburger Kennzeichen, das auf dem Seitenstreifen der Autobahn nach Kiel *abgestellt* (abstellen; Passiv; Plusqu.) und offensichtlich *beschädigt worden war* (beschädigen; Passiv; Plusqu.). Der Fahrer *sprach* (sprechen; Prät.) von einer Panne und *wies* (weisen; Prät.) auf den Ölfleck unter seinem Wagen. Als ihn die Beamten nach seinen Papieren *fragten* (fragen; Prät.), *gab* er *an* (angeben; Prät.), seine Fahrerlaubnis vergessen zu haben. Die Polizisten *hatten* aber eine Jacke auf dem Rücksitz des Autos *entdeckt* (entdecken; Plusqu.), worin *sich* auch Ausweispapiere *befanden* (sich befinden; Prät.). Das sei die Jacke seines Bruders, *erklärte* (erklären; Prät.) der Hamburger. Die nun misstrauischen Beamten *nahmen* (nehmen; Prät.) ihn mit aufs Revier. Dort *stellten sie fest* (feststellen; Prät.), dass er *gelogen hatte* (lügen; Plusqu.). Die Fahrerlaubnis *war* ihm schon vor einem Jahr wegen Trunkenheit am Steuer *entzogen worden* (entziehen; Passiv; Plusqu.), trotzdem *hatte* er, obwohl er angetrunken *war* (sein; Prät.), den Wagen seines Bruders *benutzt* (benutzen; Plusqu.), um seine Freundin in Kiel zu besuchen. Dabei *hatte* er eine rote Ampel *überfahren* (überfahren; Plusqu.) und einen Unfall mit mehreren Fahrzeugen *verursacht* (verursachen; Plusqu.). Der zweite Fall *betraf* (betreffen; Prät.) einen Gemüsehändler, der die hintere Ladeklappe seines Kleinlastwagens nicht richtig *verschlossen hatte* (verschließen; Plusqu.). Während der Fahrt *hatte* er aber im Rückspiegel *gesehen* (sehen; Plusqu.), wie *sich* die Klappe *öffnete* (sich öffnen; Prät.) und einige Kisten mit Blumenkohl *hinausfielen* (hinausfallen; Prät.). Obwohl dadurch mehrere hinter ihm fahrende Fahrzeuge *beschädigt worden waren* (beschädigen; Passiv; Plusqu.), *hielt* er nicht *an* (anhalten; Prät.). Da *sich* einer der Geschädigten das Kennzeichen des Kleinlasters *gemerkt hatte* (sich merken; Plusqu.), *konnte* (können; Prät.) dessen Fahrer kurze Zeit später von der Polizei *ermittelt* (ermitteln; Passiv; Prät.) und *festgenommen werden* (festnehmen; Passiv; Prät.). Auch er *stand* (stehen; Prät.) unter Alkoholeinfluss.

Das Plusquamperfekt bezeichnet vor dem Präteritum liegende, bereits abgeschlossene Handlungen, Vorgänge und Zustände.

Übung 3:   Die Geschichte vom höflichen Regenwurm

Nachdem es, wie es in Ländern nördlich der Alpen oft vorkommt, vier Wochen lang geregnet hatte, schien an einem Maimorgen endlich die Sonne am heiteren Himmel. Sogleich streckte ein Regenwurm, der schon lange durch die andauernde Kälte beunruhigt (worden) war, seinen Kopf aus dem feuchten Boden. Bevor er sich noch richtig wärmen konnte, entdeckte er dicht neben sich einen zweiten Regenwurm, den er, wie er wohl wusste, noch nie vorher gesehen hatte. Trotzdem verbeugte er sich tief und begann folgende höfliche Rede: „Lieber Herr Nachbar, als wir uns vor 14 Tagen im Dunkel der Erde getroffen haben / trafen, konnte ich Ihnen nicht meinen Gruß und meine Verehrung sagen, denn leider muss man sich dort unten immer mit Fressen beschäftigen und mit vollem Mund darf niemand sprechen, der von seinen Eltern gut erzogen worden ist. Jetzt aber darf ich Sie mit großem Vergnügen begrüßen und bitte Sie um Ihre Freundschaft." In ähnlicher Weise redete er noch einige Zeit fort. Er wunderte sich über die Schweigsamkeit des anderen und fragte ihn nach Namen und Herkunft, bis der zweite Regenwurm endlich das Geschwätz unterbrach und mürrisch antwortete: „Quatsch nicht so blöd, ich bin doch dein Hinterteil!"

Übung 4:   Der schlaue Bauer

Ein armer Bauer *hatte* 500 Goldstücke von einem entfernten Verwandten *geschenkt bekommen*, der vor einiger Zeit *gestorben war*. Der Bauer hatte niemals vorher an so ein unverhofftes Geschenk *gedacht* und deshalb *wollte* er das Gold *verstecken*, wie es so viele arme Leute *tun*. Nachdem er im Wäldchen hinter seinem Haus ein tiefes Loch *gegraben (hatte)* und seinen Schatz *verpackt (hatte)* und *hineingelegt hatte*, *verließ* er sehr zufrieden den Ort seiner Handlung. Während dieser Arbeit *hatte* ihn sein Nachbar *beobachtet*, und in der folgenden Nacht *schlich* er in den Wald und *nahm* das Gold an sich. Als der Bauer am Morgen *entdeckte*, dass sein Schatz *gestohlen worden war*, *wollte* er vor Kummer sterben. Aber Not *macht* erfinderisch. Er *ging* zu seinem Nachbarn, den er *verdächtigte*, und *sagte*: „Herr Nachbar, Sie *müssen* mir in einer schwierigen Angelegenheit *nachdenken helfen*. Vor einiger Zeit *sind* mir von einem Freund 1000 Goldstücke *gegeben worden*, die ich für ihn *verstecken sollte*. Aus Angst vor Dieben *habe* ich die Hälfte an einem sicheren Ort *eingegraben*. Ich *wollte* Sie *fragen*, ob es gut *wäre*, wenn ich auch den Rest an dieselbe Stelle *lege / legte*?" Selbstverständlich *riet* ihm der Nachbar zu demselben Versteck, aber sobald der Bauer in sein Haus *zurückgekehrt war*, *brachte* der Nachbar, der das ganze Gold *haben wollte*, die gestohlenen Goldstücke in das Wäldchen des Bauern *zurück*. Kurze Zeit darauf *grub* der Bauer seinen Schatz glücklich wieder *aus*.